D0766367

Nous remercions le ministère du Patrimoine canadien,
la SODEC et le Conseil des Arts du Canada
de l'aide accordée à notre programme de publication

Patrimoine canadien | Canadian Heritage

Conseil des Arts du Canada | Canada Council for the Arts

ainsi que le gouvernement du Québec
– Programme de crédit d'impôt
pour l'édition de livres
– Gestion SODEC.

Nous reconnaissons l'aide financière
du gouvernement du Canada
par l'entremise du Programme d'aide au développement
de l'industrie de l'édition (PADIÉ) pour ce projet.

Logo de la collection:
Vincent Lauzon

Illustration de la couverture:
Louis-Martin Tremblay

Maquette de la couverture:
Ariane Baril

Édition électronique:
Infographie DN

Membre de l'Association nationale des éditeurs de livres

ASSOCIATION NATIONALE DES ÉDITEURS DE LIVRES

Dépôt légal: 2e trimestre 2010
Bibliothèque nationale du Canada
Bibliothèque nationale du Québec

1234567890 IM 9876543210

ISBN 978-2-89633-040-9
11262

Sonate
pour un ange

DU MÊME AUTEUR
AUX ÉDITIONS PIERRE TISSEYRE

COLLECTION FAUBOURG ST-ROCK

Symphonie rock'n'roll, 1991.
Concerto en noir et blanc, 1992.
Sonate pour un ange, 1994.
« *Le manuscrit* », nouvelle, in *Nouvelles du Faubourg,* 1995.
« *Des sculptures d'idées* », in *Ça fête au Faubourg,* 1997.
Requiem gai, 1998.
« *Épilogue à l'épilogue ou constat d'échec* »,
in *Ça bosse au Faubourg,* 1999.
La clef dans la porte, en collaboration, 2000.

COLLECTION PAPILLON

Do, ré, mi, échec et mat! 1992.

COLLECTION FAUBOURG ST-ROCK+

Symphonie rock'n'roll, 2007.
Concerto en noir et blanc, 2009.

AUX ÉDITIONS HÉRITAGE

Le pays à l'envers, Héritage, 1987. En nomination pour le prix du Gouverneur général du Canada.
Le pays du papier peint, Héritage, 1988.
Bong! Bong! Bing! Bing! Héritage, 1990.
Bouh, le fantôme, Héritage, 1992.

Vincent Lauzon

Sonate pour un ange

Roman

9300, boul. Henri-Bourassa Ouest, bureau 220
Saint-Laurent (Québec) H4S 1L5
Téléphone : 514 335-0777 – Télécopieur : 514 335-6723
Courriel : info@edtisseyre.ca

Catalogage avant publication de Bibliothèque et Archives nationales du Québec et de Bibliothèque et Archives Canada

Lauzon, Vincent

Sonate pour un ange
2e édition

(Collection Faubourg St-Rock +; 18)
Édition originale: ©1994 dans la collection Faubourg St-Rock
Pour les lecteurs de 12 ans et plus.

ISBN 978-2-89633-040-9

I. Tremblay, Louis-Martin. II. Titre III. Collection

PS8573.A79S65 2010 jC843'.54 C2010-940328-2
PS9573.A79S65 2010

PREMIER MOUVEMENT

1

Con bravura

Fanie, perplexe, poussa avec plus de vigueur. Mais rien à faire : la porte d'entrée semblait coincée. Elle ne s'ouvrait qu'à moitié. En fronçant les sourcils, la jeune fille laissa glisser le sac d'école de son épaule et se faufila à l'intérieur. À sa surprise grandissante, malgré le soleil et le puits de lumière du vestibule, il faisait plutôt sombre dans la maison. Elle actionna le commutateur d'un coup de pouce et écarquilla les yeux, ahurie.

Une extraordinaire chose, une énorme et fantastique construction était suspendue au plafond, bloquant la porte et s'étirant presque jusqu'au seuil du salon. L'apparition était de bois peint, de papier mâché, de cuivre et de plumes : un grand être sinueux, filiforme, muni de longues ailes vertes qui s'étendaient comme des mains sur le corridor. Sa tête était mince et ses grands yeux, façonnés de feuilles de cuivre martelé, avaient une expression tranquille, presque endormie.

Au milieu de la pièce, sous la coupole bienveillante de la sculpture mystique, une femme se balançait, recroquevillée sur elle-même, les bras serrés autour de ses genoux, ses cheveux bruns empoussiérés, les aisselles tachées de sueur, le regard vague et le souffle court. On voyait, à la forme de son visage et aux courbes de son corps, qu'elle avait déjà dû être jolie, mais aujourd'hui, au début de la quarantaine, ses traits étaient tirés et sa taille avait épaissi. Elle était habillée pour le travail manuel : salopette en jeans aux multiples éclaboussures de plâtre et de peinture, tee-shirt, pieds nus. Ses fesses élargies faisaient craqueler les grandes feuilles de plastique transparent qu'elle avait déposées sur le plancher pour éviter de le salir.

Fanie déglutit, impressionnée. Elle s'approcha de la femme, s'agenouilla et l'embrassa tendrement.

— C'est là-dessus que tu travaillais depuis des semaines, maman ?

Anne Marronnier ne répondit pas, mais elle cessa de se dandiner et sa respiration ralentit. Tout son corps se détendit dans les bras de sa fille.

— C'est beau, murmura Fanie, admirative.

— C'est l'Ange, dit Anne d'une voix rauque.

Elle toussa. Elle avait respiré beaucoup de poussière durant l'après-midi.

— Il va me protéger, reprit-elle en s'essuyant distraitement la bouche. Quand ça sonne à la porte, je vais peut-être pouvoir répondre, maintenant, avec l'Ange au-dessus de moi.

Fanie se força à sourire. Elle aurait tellement voulu croire sa mère, croire qu'elle allait se porter mieux.

— Je l'espère, maman, dit-elle gentiment, dissimulant tant bien que mal sa tristesse. C'est vrai qu'il a l'air doux.

Mais Fanie n'y croyait plus. Plus maintenant, plus en troisième secondaire. Elle ne répétait ces formules creuses que pour réconforter Anne, pour éviter une crise, pour que son père n'ait pas à s'arracher les cheveux en revenant du bureau. La maison était pleine des sculptures fétiches de sa mère, censées veiller sur elle jour et nuit, et pourtant, son comportement ne s'améliorait pas. Il y avait, entre autres, le Cheval Rouge, au salon. La Grande Main, ses longs doigts blancs mollement repliés sur la paume, à la bibliothèque. Le Chien dans la cuisine, museau levé vers le ciel et crocs de bois d'échouerie. Le Phoque dans la salle de bains, avec la légende *Phoque you* gravée en lettres minuscules sur le ventre. Et la famille des Fées dans sa chambre à coucher – vingt-trois statuettes de bois laqué, accrochées en essaim au-dessus du lit. Parfois, la nuit, Fanie pouvait entendre sa mère leur parler, les appelant chacune par leur prénom. Son père ne dormait plus dans le lit conjugal ; il avait fait sienne la chambre d'amis depuis un bon bout de temps.

Une véritable armée immobile, disséminée dans tous les coins, qui donnait à la vieille demeure de la rue Herriman des allures de musée, de galerie d'art – ou de maison hantée. Une armée engourdie, ankylosée, figée… inutile.

— Tu as vu ? dit Anne. Je l'ai fait vert.

— Oui, maman.

Anne soupira.

— J'aime ça, le vert. C'est beau.

— C'est vrai, maman. C'est beau.

Fanie se releva et regarda sa montre.

— Il est déjà passé 4 h, dit-elle. Va prendre une douche, là. Moi, je vais commencer le souper. J'aimerais ça que ça soit prêt avant que papa arrive, j'ai pas mal de devoirs à faire. Allez, va te laver, ça va te faire du bien.

Anne parut se réveiller. Elle cligna des yeux, s'examina rapidement, et sa bouche se tordit en une grimace horrifiée.

— Mes mains ! Mes mains sont toutes sales ! siffla-t-elle.

— Maman, c'est pas si grave ! Capote pas !

Mais Anne n'écoutait plus sa fille. Elle reniflait, les narines distendues.

— Et je pue ! cria-t-elle, et un haut-le-cœur lui déforma le visage. Je pue, c'est écœurant !

Avec des gestes saccadés, elle se mit à se déshabiller, arrachant presque ses vêtements et les lançant contre le mur. Puis, nue, elle s'élança vers la salle de bains et claqua la porte.

— Maudit, maman ! s'écria Fanie, exaspérée. Veux-tu te calmer !

Le bruit de la douche retentit comme un orage, la vieille tuyauterie crachotante fournissant le tonnerre. Sa mère ne l'entendait plus. Les dents serrées pour retenir d'autres éclats plus agressifs, la jeune fille ramassa la salopette et les sous-vêtements épars et les descendit au sous-sol.

En revenant de la salle de lavage, Fanie s'arrêta devant le Puits.

Au sous-sol du 42 Herriman, il y avait une petite pièce dont la famille parlait peu, et dont la porte noire était toujours close. Le Puits. Ou le Trou, parfois. C'était l'oubliette psychique d'Anne Marronnier. Sa poubelle de l'âme.

Il n'y avait pas de lumière dans le Puits, mais celle du corridor se répandait timidement à l'intérieur et, après une minute d'acclimatation, on pouvait y voir assez pour ne pas se casser la figure. Fanie ouvrit la porte et compta les mouches.

Elle en compta trente-sept. Trente-sept énormes insectes de papier mâché, de bois et de métal, aux yeux globuleux, aux pattes velues, aux ailes de carton et de papier de riz. Elles jonchaient le sol, pêle-mêle, elles reposaient là où elles avaient roulé et rebondi après qu'Anne les eut lancées au Puits. Certaines gisaient sur le dos, d'autres étaient brisées. Un tapis de trente-sept grosses mouches mortes.

Trente-sept. Une de plus que trois jours auparavant. Une bibitte de plus dont Anne Marronnier avait voulu symboliquement se débarrasser, sans plus de succès qu'avec les trente-six précédentes.

Fanie prit une mouche dans ses mains. C'était peut-être la nouvelle, peut-être pas. Les mouches n'étaient pas cataloguées. Fanie l'examina un moment, se demandant ce qu'elle pouvait bien représenter. La peur du noir ? De la saleté ? Des grands espaces ? Des foules ? De la solitude ?

Comment savoir ?

Elle laissa retomber la sculpture par terre, presque répugnée malgré elle. La mouche avait l'air si réelle qu'elle faisait naître chez l'adolescente une inquiétude diffuse. Sa mère avait beaucoup de talent.

Sur le comptoir de la cuisine, le répondeur clignotait de sa petite diode rouge.

— Fanie ? C'est papa. Écoute, ma puce..., ça m'écœure de te faire ce coup-là, mais j'en peux plus. Attends-moi pas pour souper, je... je reviendrai pas ce soir. Je reviendrai plus.

Une longue pause, rythmée par la respiration sifflante de Patrick Marronnier, numérisée, emprisonnée quelque part chez Bell. Fanie écoutait, pétrifiée, les mains dans son pain de viande.

— Bon, je dis que je reviendrai plus... Je sais pas, Fanie, je vais peut-être revenir... Mais pas tout de suite. Pas tout de suite. J'ai besoin d'être tout seul, je suis plus capable, elle est en train de me rendre complètement fou, tu comprends ? Je suis plus capable de vivre avec ses crises et ses fées et ses mouches. Ta mère est malade, elle veut pas se faire soigner, puis moi, je suis au bord de la dépression.

La voix se fit petite, rageuse.

— Câlisse.

Encore une longue pause.

— Je sais plus quoi faire pour l'aider, Fanie. Ça fait que je me sauve... avant de faire quelque chose que je pourrais regretter. Tu iras voir dans la boîte aux lettres. Je t'ai laissé quatre cents piastres, tu devrais être bonne pour la semaine, hein? Je te ferai parvenir d'autre argent lundi prochain, je vais le déposer dans le compte de ta mère. T'auras juste à prendre sa carte de guichet. Son code, c'est 12121, si jamais elle a oublié.

Une autre pause, puis la voix continua, dégoulinante de pleutre culpabilité.

— Je le sais… que je suis lâche, ma puce. T'es tellement plus forte que moi. Je t'aime. Puis j'aime ta mère. C'est vrai… Je vous aime toutes les deux, mais… mais…

La voix de son père se déchira en sanglots, qui se terminèrent sur un clic stérile. Fanie, en silence, mit la viande au four. Elle s'assit à la table et ferma les yeux.

Puis sa mère l'appela en hurlant.

Anne était debout devant la porte de son atelier, une serviette autour de la taille. La peau encore humide, elle montrait du doigt l'intérieur de la pièce, tout son corps agité de soubresauts hystériques. Fanie accourut, haletante. Anne se pressa contre elle en pleurant.

— Mon atelier, Fanie! Il est tout sale… comment je vais pouvoir travailler là… il est tout sale…

Fanie caressa la nuque de sa mère et murmura, apaisante:

— Je vais faire le ménage tout à l'heure, maman. Inquiète-toi pas, je vais prendre soin de toi. Je vais m'occuper de tout. Viens manger, le souper est presque prêt. Viens.

Elle prit Anne par la main et l'entraîna lentement vers la cuisine.

— Tu es fine avec moi, Fanie, renifla sa mère. Tu es une bonne fille.

Fanie tenta de sourire, mais n'y parvint pas. Elle se sentait épuisée.

2
Mesto

Fanie ne dansait pas. Elle ne dansait jamais. Elle restait adossée au mur, près de la scène, et elle écoutait. Elle ne voyait même pas la foule d'étudiants compressés dans le gymnase, frétillants comme du bacon dans la poêle.

Fanie n'aimait pas beaucoup son corps et elle préférait ne pas attirer l'attention. Elle se trouvait petite, boulotte, gauche. Ses fesses étaient molles et, à quatorze ans, elle avait déjà trop de seins, trop tombants. Sa peau était trop blanche, son nez était trop court, ses yeux étaient trop grands. Ses longs cheveux bruns tombaient, raides commes des rideaux, de chaque côté de son visage. Elle avait bien essayé de les coiffer différemment, de leur donner un genre plus cool, mais sa chevelure récalcitrante n'avait jamais voulu coopérer. Par défaitisme, elle s'habillait de manière banale : jeans bouffants sous les fesses, espadrilles, tee-shirts extra-grands. Pour corriger une myopie sévère, elle portait de grandes lunettes rondes qui lui conféraient – c'était son opinion – un triste aspect grenouillesque. Elle les détestait, mais, comme les verres de contact lui rougissaient les yeux et la faisaient larmoyer, elle en avait fait son deuil. Fanie était une fille pragmatique. Lorsqu'elle dansait, elle se trouvait balourde et laide. Elle ne dansait donc pas.

Sur la scène, six adolescents se déchaînaient dans un torrent de musique qui faisait rêver Fanie et se trémousser le reste de l'école : Push-Poussez, le groupe bilingue, la légende du Faubourg, les six jeunes les plus populaires de La Passerelle, en dépit du fait que trois d'entre eux ne fréquentaient plus la polyvalente.

— Hey la gang ! tonna le bassiste, un Noir athlétique. Commencez-vous à être réchauffés ?

Hystérie dans la salle.

— Great ! Je voudrais maintenant vous présenter les membres du band !

Ce n'était pas tellement utile, tout le monde les connaissait, mais le protocole est formel : dans un concert rock, on doit toujours présenter les membres du groupe, généralement trois ou quatre chansons avant la fin du set. Traditions…

— À la guitare… Alain Lafont !

Le cœur et l'âme du groupe, fougueux musicien, éternel passionné, finalement cégépien à l'École de musique Vincent-d'Indy en guitare classique, Alain salua, soulevant son instrument bien haut au-dessus de sa tête, mais seulement pour la forme – le cœur n'y était pas. C'était bizarre, il n'arrivait pas à se concentrer, ce midi. Il n'était pas en sueur. Ç'aurait dû l'inquiéter.

— *Lead vocals*... Kiiiiiim Beauregard!

La Muse d'Alain, la déesse goth de cinquième secondaire, en mini-jupe et collants noirs, veston rouge et cheveux laqués, esquissa quelques pas de danse langoureux et faillit bien déclencher une émeute. La nature chaleureuse de Kim et son indéniable beauté étaient très appréciées à La Passerelle.

Le bassiste continua rapidement les présentations.

Aux claviers, Serge Brochu, poète tourmenté à la sexualité mal établie, à présent en administration à Bois-de-Boulogne.

Aux *back vocals,* la nouvelle arrivée. Jessica Walker était grande et sensuelle, enjouée et parfaitement sûre d'elle, malgré la large tache de vin qui lui marquait le côté droit du visage, du sourcil au bas de la joue. Maintenant en arts graphiques au cégep du Vieux-Montréal, la jeune juive avait rencontré le bassiste de Push-Poussez dans des circonstances plutôt étranges l'année précédente et en était aussitôt tombée amoureuse. Le groupe l'avait acceptée d'emblée. Puis, à l'étonnement de tous, elle avait démontré une grande maîtrise d'une voix puissante qui se mariait si bien avec celle de Kim qu'elle n'avait eu d'autre choix que de se joindre au groupe.

À la batterie, Benoit Gauvreau, le bébé de la gang, un petit de quatrième secondaire foufou, à l'humour pas toujours du meilleur goût, mais un vrai bon gars. Quand son nom résonna dans les haut-parleurs, il lança ses bâtons haut dans les airs, les rattrapa sans regarder et les fit tournoyer à une vitesse prodigieuse entre ses doigts, provoquant les hurlements de la foule. De tout Push-Poussez, seul le talent musical de Benoit pouvait rivaliser avec celui d'Alain. Il empoigna un micro et enchaîna joyeusement :

— Et puis il faudrait surtout pas oublier… à la *bass*… Daaaaave Herbert !

Dave s'inclina, ses dents blanches aveuglant les premières rangées en affichant ce sourire dément devenu sa marque de commerce. Puis il leva les bras, l'air tout à coup plus grave.

— O.k. la gang ! C'est ben beau le métal, mais maintenant, on va vous faire une toune un peu plus sérieuse…

Son ton de voix posé et son regard intense eurent un effet calmant instantané. Les élèves se turent. Les corps ralentirent. Tout le monde se mit à écouter, comme Fanie.

— Des fois, déclara Dave tout bas, forçant les spectateurs à tendre l'oreille, des fois, quand on regarde le monde aller, on sait plus vraiment qui est normal et qui est fou. On voit des gens faire des choses, puis on comprend pas, puis on se dit : « Il est malade, lui ! » Mais c'est pas toujours aussi évident. On n'est pas fou tout seul dans le vide. Faut faire attention.

Le regard du jeune Noir glissa tour à tour sur chacun de ses amis, s'arrêta plus longtemps sur Alain. Il pinça quelques notes tranquilles sur sa guitare basse.

— C'est du David Bowie, ça s'appelle *All the Madmen.*

Day after day
They send my friends away
To mansions cold and gray
To the far side of town
Where the thin men stalk the streets
While the sane stay underground[1]

La foule frémit, incertaine. La chanson était étrange, ses sonorités fantomatiques, troublantes, presque angoissantes. Trop lente pour s'éclater, trop vite pour un *slow,* elle ne se dansait pas bien. Et ce n'était pas Kim qui chantait la mélodie ; elle s'était placée en retrait, près de Jessica, et l'accompagnait aux *back vocals.* Alain jouait et chantait en même temps, les yeux fermés, la voix bizarrement nasillarde. Après une minute, les élèves se remirent à bouger, sautillant et frémissant tant bien que mal sur une chanson qu'il aurait fallu écouter.

Fanie, elle, écoutait. Elle aimait tant les mots. Elle possédait le don des langues : l'anglais n'avait depuis longtemps plus de secrets pour elle et son espagnol était tout à fait correct. Elle étudiait depuis quelques mois le japonais, une expérience qu'elle trouvait merveilleusement dépaysante. Elle aimait les mots, leur sonorité, leur chant, leur visage sur le papier.

---

1. Jour après jour / Ils envoient mes amis / Dans des manoirs froids et gris / À l'autre bout de la ville / Où les hommes maigres déambulent dans les rues / Alors que les sains d'esprit restent sous terre

Cause I'd rather stay here
With all the madmen
Than perish with the sad men roaming free
And I'd rather play here
With all the madmen
For I'm quite content they're all as sane
As me[2]

Parce que Fanie les écoutait, et plus précisément parce qu'elle les comprenait, les mots de *All the Madmen* la fascinaient, la bouleversaient, lui faisaient presque peur, presque mal. Elle écoutait Alain parler de la folie des gens et elle voyait sa mère, entourée de ses mouches de papier mâché, et elle avait envie de pleurer. Pendant toute la chanson, alors que les paroles s'entrechoquaient dans sa tête, entre ses visions d'une mère perdue et d'un père si lâche, Fanie demeura figée, respirant à peine.

Elle regardait Benoit.

Dès le premier jour de l'année scolaire, elle avait remarqué le petit batteur. Elle ne pouvait pas le côtoyer durant les cours, elle n'était qu'en troisième secondaire, mais Benoit Gauvreau prenait beaucoup de place dans la vie de La Passerelle. Plusieurs disaient même qu'il avait pris la relève de Dave Herbert et qu'il était maintenant le boute-en-train officiel de la polyvalente. Il faisait des

2. Car je préfère rester ici / Avec tous les fous / Que de périr parmi ces tristes sires en liberté / Et je préfère jouer ici / Avec tous les fous / Parce que je suis convaincu qu'ils sont tous aussi sains d'esprit / Que moi

blagues, chantait et dansait dans les corridors, flirtait avec toutes les filles. Fanie le trouvait drôle. Pour une fille comme elle, plutôt pessimiste, avec une vie familiale qui oscillait entre le grand-guignol et le vrai drame, c'était irrésistiblement attirant.

Et puis, il était vraiment très mignon.

Alors elle l'admirait fixement, ardemment, pendant que David Bowie lui rappelait qu'elle devait faire quelque chose pour sa mère, qu'il y avait maintenant deux mouches de plus dans le Puits et que le ménage ne se faisait pas tout seul. Elle avait à vieillir trop vite.

C

— Avez-vous vu ça ? lança Jessica, replaçant le micro sur son support.

Le concert venait de se terminer. La salle se vidait lentement, mais beaucoup de jeunes demeuraient près de la scène, pour féliciter, demander des autographes et poser des questions.

— Vu quoi ? fit Alain en rangeant sa guitare avec révérence.

— La fille, là, indiqua-t-elle. Elle a l'air en transe. Je pense qu'elle a pas cligné des yeux depuis dix minutes.

— Qui, la petite grosse dans le coin ? dit Benoit en s'approchant.

— Benoit, franchement ! se formalisa Kim. Des fois, t'es assez cru !

— Ben quoi ? Elle m'a pas entendu.

— Come on, Ben, c'est pas une raison pour être méchant, dit Dave d'un ton paternaliste.

Jessica hocha la tête, fascinée par le visage de Fanie, incapable de décrire ce qu'elle y voyait qui la bouleversait tant. L'adolescente silencieuse, là-bas, avait l'air d'avoir vécu, avait l'air de vivre quelque chose de profond, d'inhumain.

— Right, Benoit, souffla-t-elle, attendrie sans trop pouvoir s'expliquer pourquoi. Surtout que je sais pas si tu le réalises, mais c'est toi qu'elle fixe depuis tout ce temps-là.

— Hein ? Moi ?

Interloqué, le batteur se tourna brusquement vers Fanie, les yeux ronds. La jeune fille soutint son regard étonné pendant quelques secondes avant de comprendre qu'elle était maintenant aussi observée qu'observatrice. Elle rougit violemment et baissa la tête. Puis, mortifiée, elle se dirigea vers la sortie avec les autres élèves, une tête de plus dans le troupeau.

— T'es sûre ? s'enquit Benoit. Pourquoi elle me regarderait ?

Kim sourit, amusée par la naïveté de son ami.

— Tu sais, Benoit, t'as beau être un petit mocks esclave de ses hormones, t'es quand même plutôt mignon dans ton genre. C'est pas étonnant que quelqu'un le remarque éventuellement.

Benoit rougit à son tour et protesta, en faisant trop, comme d'habitude :

— C'est ben fin, ça, mais ça pourrait pas être toi ou Jess, ce quelqu'un-là, merde ? Hein ? S'il vous plaît ? Please ? Please please please s'il-vous-plaît sivous-plaît siouplaît ?

Il s'était jeté aux pieds de Kim et s'agrippait aux jambes qui le suivaient jusque dans ses rêves. Kim et son visage si parfait, sa peau si pâle, ses yeux si noirs, sa bouche si rouge. Son corps. Et Jessica, l'extraordinaire Jessica qui, par ses courbes, ses gestes, ses cheveux et sa voix transcendait l'énorme tache de vin qui la défigurait. Jess, si sexy. Alain et Dave étaient tellement chanceux, ce n'était pas juste!

— Tèteux! rigola Kim en lui ébouriffant les cheveux. Tu penses vraiment rien qu'à ça. Tu devrais être content qu'une fille ait l'air de t'admirer autant!

— Oui, c'est vrai, dit Jessica sérieusement, il y avait de l'admiration dans ses yeux... but that wasn't all... there was something else as well...[3]

Elle se tut.

— Quoi? Quoi? demanda Benoit, curieux.

Du doigt, Jessica traça le contour de sa tache, l'air absente.

— Je sais pas, murmura-t-elle. Mais c'était grave.

Elle frissonna. Benoit, désarçonné, ne sut que répondre – la jeune fille semblait vraiment émue. Dave s'approcha de son amie, joignit les mains autour de sa taille.

— You all right, Jess? susurra-t-il. Ça va?

Elle se serra contre lui. Elle était amoureuse.

---

3. ... mais ce n'était pas tout... il y avait autre chose...

— Yeah, I'm fine… but I did see something awful in that girl's eyes, Dave[4]…

Dave l'embrassa longuement, lèvres brunes écrasées contre lèvres rouge sang. Les cheveux de sa copine sentaient bon, son visage plaqué était beau. Il était amoureux.

— I know you did, love. Je le sais.

Dave croyait passionnément en l'existence et en la force de l'âme humaine. Il était sûr qu'on pouvait communiquer tout ce qui était véritablement important sans prononcer le moindre mot. Certaines choses, pensait-il, ne pouvaient d'ailleurs se dire qu'en silence. Dès qu'on en parlait, on les diminuait. L'amour, les peines, une fois emprisonnés dans des syllabes, devenaient tristement relatifs. Il préférait montrer à Jessica pourquoi et comment il l'aimait : lorsqu'il le lui disait, ses paroles se révélaient invariablement insuffisantes, faibles.

Si Jessica affirmait avoir vu un conflit intérieur dans le visage de cette fille, Dave la croyait sans réserve.

— On a tous des roches dans nos valises, Jessica, pontifia-t-il. Il faut dealer avec ça. Toi, moi, cette fille-là aussi.

Jessica esquissa un sourire sans joie.

— I guess you're right[5]. J'aimerais juste savoir c'est quoi, ses roches à elle.

---

4. Oui, ça va… mais j'ai vraiment vu quelque chose de terrible dans les yeux de cette fille, Dave…
5. Tu as raison, je suppose.

Alain récupéra son manteau, empoigna sa guitare et son sac et annonça à la ronde :

— Bon, ben moi, faut que j'y aille ! Si j'arrive en retard au cours de théorie, sœur Françoise va me péter une crise, elle va me faire asseoir juste à côté de son bureau, comme un petit gars tannant !

Kim bondit vers son chum, l'embrassa avec empressement.

— Tu viens me voir ce soir, hein ? Tu peux souper chez nous, si tu veux. Mes parents m'ont justement demandé de t'inviter.

Alain soupira.

— Écoute, Kim, tu sais bien que ça me tente, mais je peux pas, faut que je reste à l'école ce soir, il faut que je pratique...

La belle de La Passerelle recula d'un pas. Elle était déçue et ça se voyait. Comme un seul homme, les autres membres du groupe se remirent au rangement du matériel, laissant le couple tranquille. Serge espérait seulement qu'il n'y aurait pas de scène.

— Merde, Alain, je te vois presque plus. Depuis que t'es à Vincent-d'Indy, on dirait que tu couches là tous les soirs. T'es jamais chez vous.

Elle baissa la voix et son ton se fit presque suppliant.

— Je m'ennuie de toi.

— Moi aussi, répondit Alain avec affection. Moi aussi, tu le sais. On l'a déjà eue, cette conversation-là, Kim. Je suis rendu au cégep, là, dans un programme que j'aime. Un programme dans lequel je fitte, comprends-tu ? C'est la première fois de ma vie que je fitte dans une école. Je peux pas négliger ça.

— Juste ce soir, cajola-t-elle. Juste ce soir. Sois gentil.

Alain eut l'air tiraillé, puis il soupira derechef:

— Je suis désolé. Ce soir, faut que je pratique.

Kim pinça les lèvres, blessée.

— Avec ta Miriam, encore, je suppose, lança-t-elle sèchement.

Alain se redressa brutalement, comme si elle l'avait fouetté.

— C'est pas juste, ça, Kim! cria-t-il. Miriam et moi, on fait un duo pour l'examen de session, c'est tout! C'est pour ça que je pratique avec elle. Qu'est-ce que tu veux dire par là, maudit?

Kim parut sur le point de répondre vertement, puis ses épaules s'affaissèrent et sa volonté s'échappa en une longue exhalation résignée.

— Rien, rien... Je sais pas, je m'excuse... C'est juste que je m'ennuie tellement de toi...

Il déposa ses cliques et ses claques et tendit les bras. Kim se blottit contre lui, respira son odeur de musique. Elle ne voulait pas pleurer.

— Alain? murmura-t-elle. Tu m'aimes-tu?

— Oui. Je t'aime beaucoup.

Puis Alain sortit, suivi de Serge, laissant derrière une Kim déprimée et trois Push-Pousseurs mal à l'aise, ne sachant trop comment la réconforter sans faire de prêchi-prêcha. Dave lui déposa un baiser sur la joue. Jessica ne dit rien. Benoit marmonna dans sa barbe à peine naissante:

— Fuck… moi, je lâcherais l'école pour une fille comme ça…

C'était clair : la relation de Kim et d'Alain s'accommodait mal de Vincent-d'Indy, des nouvelles expériences, des nouvelles amitiés du guitariste. En quelques mois seulement, leur copain s'était étrangement transformé. Il n'était plus aussi fougueux qu'avant, ses accès de passion, de rage et de joie délirante s'espaçaient. Ses humeurs s'étaient stabilisées, standardisées. L'entourage de tant de musiciens aussi mordus que lui l'avait calmé. Il n'était plus la seule personne qui voyait de la musique partout. Il avait retrouvé son peuple. Il n'était plus le meilleur, d'accord, mais il ne se sentait plus aussi incompris. Et, bizarrement, il en était devenu moins intéressant, plus normal, moins flamboyant, plus anodin.

À Vincent-d'Indy, on le décrivait comme un gars bien ordinaire. Quand Kim avait entendu cela, elle s'était fâchée. Alain Lafont était un être exceptionnel, avec les qualités et les lubies des génies – il n'était pas, n'avait jamais été et ne serait jamais un gars bien ordinaire !

Pourtant… à quand remontait la dernière fois que son amoureux avait joué juste pour elle ? Ces solos merveilleux, ces poèmes d'amour en musique qui la faisaient fondre et qui le laissaient en sueur, en larmes ?

C'était vrai. Alain avait changé. Même sa musique s'en ressentait. Au fur et à mesure que sa technique s'améliorait, les notes s'alourdissaient. Et il ne s'en apercevait pas.

Il était devenu un cégépien parmi d'autres. Et Kim l'aimait toujours autant.

C

— Excuse-moi…

Les musiciens se retournèrent en sursaut vers la voix. Jessica retint une exclamation de surprise. Benoit eut l'air gêné.

Fanie ne comprenait toujours pas où elle avait trouvé le courage de revenir sur ses pas et d'adresser la parole aux membres de Push-Poussez. La chanson l'avait tellement tourneboulée, qu'elle ne savait plus très bien ce qu'elle faisait, ce qu'elle disait, ce qu'elle pensait. Mais elle était revenue, voilà, et elle ne pouvait plus repartir sans avoir l'air idiote – ou encore plus idiote. Elle avala péniblement sa salive et marcha vers Benoit. C'était à Benoit qu'elle voulait parler.

— Excuse-moi, répéta-t-elle, la voix blanche. Je voulais juste savoir… la chanson de David Bowie que vous avez faite tout à l'heure…

— *All the Madmen* ? dit Benoit, en l'observant d'un œil anxieux.

Petit à petit, Jessica, Dave, Kim et Benoit se rapprochaient de Fanie. Elle était très pâle, elle n'avait pas l'air dans son assiette. De nouveau, Jessica pressentit une intense douleur dans l'expression de la jeune fille, et cette fois, ses amis la perçurent aussi. Dave, touché, lança une prière éclair à son Dieu. *Please help this girl, O Lord, she has a terrible burden to bear*[6].

Mais Fanie les ignorait tous, sauf Benoit.

— C'est ça… c'est… c'est sur quel album ? J'aimerais ça l'acheter.

Benoit n'était pas certain.

— Euh… c'est sur *The Man Who Sold the World,* non ? demanda-t-il en jetant un coup d'œil à Kim. Son deuxième album, me semble ?

— Oui et non, répondit la chanteuse. Oui, c'est sur ce disque-là, mais c'est pas son deuxième album, c'est son troisième. Le monde oublie tout le temps son vrai premier disque, *David Bowie.* Celui avec *Rubber Band.*

Fanie ferma les yeux à demi, et répéta le titre dans sa tête, ses lèvres remuant en silence. Il y eut une pause inconfortable.

— *The Man Who Sold the World…*, dit-elle finalement. C'est un drôle de titre…

— Mais c'est un bon album, par exemple, fit remarquer Jessica.

— Veux-tu le voir ? proposa Kim.

— Tu l'as ici ? dit Fanie.

Derrière ses lunettes de grenouille, il y avait des yeux qui n'étaient pas si laids. Lorsqu'elle prenait cette expression de souffrance discrète, ils dégageaient même une certaine noblesse.

— Je l'ai sur mon iPod ! répliqua Kim avec une joie forcée. Je voulais rien savoir d'iTunes, mais

6. Seigneur, aidez cette fille, je vous en prie. Elle a un si lourd fardeau à porter.

dernièrement, ils ont enlevé toutes leurs niaiseries de DRM de leurs fichiers, et ça s'est mis à valoir la peine d'acheter chez eux. J'ai à peu près tous les albums de Bowie avec moi.

— Puis je suis *sûr* que tu les as tous payés, lança Benoit moqueusement.

Kim rougit, mais elle continua sans relever l'interruption :

— Attends, je vais te le montrer.

Elle fouilla un instant dans son sac et en sortit un iPod Nano. Ses doigts dansèrent rapidement sur la roulette de l'appareil, puis elle tendit celui-ci à Fanie, pour lui faire voir la pochette de l'album. La plupart de ses amis ne se souciaient pas d'inclure un fichier image à leurs albums, mais Kim détestait n'avoir sous les yeux que le titre et les deux grosses notes de musique grises qu'Apple attribuait par défaut aux chansons ainsi esseulées. À l'écran, David Bowie était étendu sur un canapé, appuyé sur un coude, une main dans ses cheveux longs, le visage neutre. Il portait une robe à fleurs.

Les paroles étaient affichées sur l'image. Fanie lut, avidement, les mots qui l'avaient transpercée tout à l'heure.

So I tell them that
I can fly, I will scream, I will break my arm
I will do me harm
Here I stand foot in hand, talking to my wall
I'm not quite right at all… am I[7]*?*

7. Et je leur dis que je vais m'envoler, hurler, me casser un bras / Je vais me faire du mal / Me voilà, pied dans la main, parlant à un mur / Je ne vais pas très bien… n'est-ce pas?

— Hey ! Ça va ? Qu'est-ce qui se passe ?

Benoit était à ses côtés, l'air inquiet et mystifié à la fois. Jessica, Dave, Kim aussi, tous autour d'elle, pleins de sollicitude. Elle ne pouvait se retenir, elle tentait de se contenir, mais les larmes coulaient d'elles-mêmes, elle les sentait descendre jusque dans son cou, sous son tee-shirt, imbibant le tissu. Elle voulait se sauver, mais ses jambes ne lui appartenaient plus. Elle lisait et pleurait, et les quatre musiciens la regardaient. Même Benoit, d'ordinaire plutôt superficiel, même Benoit sentait que la peine de cette jeune fille d'allure banale devait être extraordinaire.

Quelque chose d'étonnant se passa dans le cœur du petit batteur fanfaron : pour la première fois de sa vie, il se sentit attiré par une fille qu'il ne trouvait vraiment pas jolie. Parce qu'elle en avait tellement besoin.

— Qu'est-ce que t'as ? Tu pleures.

— C'est rien, balbutia Fanie sans que ses larmes s'arrêtent, c'est rien du tout. C'est mes affaires.

Mais Benoit voulait savoir.

— Dis-le-moi, come on, insista-t-il. On sait jamais, on peut peut-être t'aider, tu sais…

Fanie essaya d'éteindre le iPod, mais ses doigts tremblaient trop et elle n'y parvenait pas. De guerre lasse, elle remit le tout à Kim et dit :

— Merci, t'es fine… Je m'excuse de vous avoir dérangés… Faut que je parte, j'ai des cours…

En essuyant ses joues avec ses paumes tressautantes, elle fit mine de partir. Puis elle s'arrêta.

— C'est gentil de m'offrir ton aide, Benoit. Mais il faut que je me débrouille toute seule.

Benoit tapa du pied et leva les yeux au ciel, soudain exaspéré.

— Ah, tabarnaque ! rugit-il. Pas une autre qui s'imagine qu'il y a personne d'autre qu'elle sur la planète ! Es-tu parente avec Alain Lafont ou Dave Herbert, coudonc ?

Fanie recula, incertaine, surprise de cet éclat de colère. Choquée, sans plus rien dire, elle leur tourna le dos et se dirigea lentement vers les portes du gymnase. Benoit sacra à mi-voix, furieux contre lui-même. Qu'est-ce qui lui avait pris ? Gueuler comme ça, alors qu'il ne se mêlait même pas de ses affaires ?

— Hey ! appela-t-il sans pouvoir se retenir. Tu peux me dire ton nom, au moins ?

Silence. La porte grinça. Mais avant qu'elle ne se referme, la voix de Fanie les rejoignit sur la scène.

— Je m'appelle Fanie Marronnier.

3
Ardito

Ma puce,

Ça fait déjà deux semaines que je suis parti. Ça fait deux semaines que je n'ose pas téléphoner. Je pense à toi et à ta mère, et j'ai honte. Je n'aurais pas dû me sauver comme ça, je le sais bien. Mais j'étais sur le bord de la dépression, tu comprends ? J'étais en train de devenir aussi fou qu'elle.

Je t'écris parce que j'ai des choses importantes à te dire. Ce sont des choses dures, difficiles, mais je te connais, tu es capable de les prendre.

J'ai beaucoup réfléchi, Fanie. Ça fait un bout de temps que je m'en doute, mais ces quinze jours loin d'Anne me l'ont confirmé. Je n'aime plus ta mère. Ce n'est pas seulement à cause de sa maladie, bien qu'évidemment ça n'ait pas aidé. Je ne l'aime plus, voilà. Je vais entamer des procédures de divorce, je n'ai plus d'autre choix.

Je me rends bien compte que je ne peux pas te laisser seule avec une malade mentale pour le reste de ta vie. J'aurais dû mieux préparer mon départ, tu devrais être ici avec moi. J'ai paniqué, j'ai fait une gaffe. Mais je ne peux pas te prendre tout de suite. Anne mourrait si on la laissait seule dans la maison et les arrangements que je suis en train de faire pour elle prennent du temps.

J'ai parlé à une psychiatre. Nous allons passer dans quelques jours, ou dans deux ou trois semaines tout au plus, et elle va examiner Anne et diagnostiquer formellement son problème. Mais d'après les symptômes que je lui ai décrits, elle croit qu'il s'agit d'agoraphobie ou d'une forme mineure de schizophrénie. Elle pense qu'il serait plus simple de faire institutionnaliser Anne jusqu'à ce qu'elle aille mieux. Tu n'as pas à t'inquiéter, ils prendront bien soin d'elle.

Encore quelques jours (quelques semaines au maximum, juré), ma puce, et nous allons pouvoir recommencer à neuf. J'ai déposé la somme de quatre cents dollars dans le compte de ta mère, comme tous les lundis.

Je t'aime,
Ton papa

P.-S. : Je crois qu'il vaudrait mieux éviter de mentionner mon départ précipité devant le juge. Je veux obtenir ta garde le plus facilement possible. Si on apprend que tu as passé près d'un mois à t'occuper seule d'une schizophrène, la Cour voudra possiblement te placer en foyer d'accueil. Ils ne connaissent pas ta force de caractère aussi bien que moi.

Fanie replia la lettre, la replaça dans son enveloppe, laissa tomber le tout dans une boîte de conserve vide. L'enveloppe, qui avait été glissée dans la boîte aux lettres durant la nuit, portait la seule mention *À Fanie,* sans adresse de retour. Son père était vraiment la pire des poules mouillées.

Elle craqua une allumette, la tint au-dessus de la boîte, puis elle se ravisa et souffla la flamme sulfureuse, pff pss. Elle récupéra la missive incriminante – une preuve de la main de son cher papa qu'il l'avait cruellement abandonnée, elle si jeune, si faible, à une vie infernale avec une vraie folle.

Si elle ne pouvait pas trouver un moyen de demeurer avec sa mère, elle s'arrangerait au moins pour ne pas suivre cet homme irresponsable qui se croyait encore son père. Plutôt le foyer d'accueil que cet enfant de quarante ans. Il ne pouvait quand même pas s'imaginer que son comportement était justifiable. Il avait l'air tout droit sorti des *Invincibles.*

Fanie poussa la tasse de café vers sa mère, qui n'avait pas dit un mot depuis quinze minutes. Clignant des yeux, Anne Marronnier la souleva en direction du chien de plâtre, de bois et de cuivre qui semblait hurler à la lune à côté du lave-vaisselle.

— À la tienne, le Chien. À la tienne, Fanie.

— À la tienne, maman, débita la jeune fille sur un ton monocorde, pour compléter le rituel.

Anne s'apprêta à boire, mais quelque chose l'arrêta. Soudain soucieuse, elle demanda :

— Combien t'as mis de sucre dedans ?

— Une cuillerée à thé rase, maman, souffla Fanie, apaisante.

Anne se tranquillisa un peu, mais elle n'était pas encore tout à fait rassérénée.

— Avec quelle cuiller?

— La cuiller en plastique, maman, fit Fanie patiemment. La verte. Inquiète-toi pas, je sais ce que je fais, prends ça cool…

Avec un frisson de soulagement, Anne avala une grande gorgée. Elle la savoura un moment, fit rouler le liquide autour de sa langue, entre ses dents. Fanie faisait du bon café. C'était plus qu'une boisson. C'était un médicament soigneusement préparé par sa fille, suivant des règles méticuleusement établies. Quand elle buvait une tasse du café de Fanie, elle savait qu'elle pouvait relaxer, elle n'avait presque plus besoin du Chien, de l'Ange et des autres.

— Elle est de Patrick, ta lettre? dit-elle tout à coup, d'un ton parfaitement posé.

Surprise, Fanie fut tentée de mentir, mais seulement un instant. Si son père arrivait avec une docteure, dans quelques jours, mieux valait qu'Anne soit mise au courant. Il fallait, de toute façon, élaborer un plan, et il était primordial que sa mère coopère.

— Oui.

— Il est parti depuis combien de temps, là? J'ai comme un peu perdu le fil des jours…

Malgré elle, les lèvres de Fanie s'étirèrent en demi-lune, creusant ses joues. Sa mère disait parfois des choses si attendrissantes. Comme son père, elle était encore une enfant. Mais contrairement à lui, elle était une enfant attachante.

— Depuis deux semaines, maman.

— Il reviendra plus, hein?

— Non.

Anne haussa les épaules. Elle n'avait pas l'air triste.

— Il ne m'aime plus, affirma-t-elle dans un éclair de lucidité.

Fanie se versa un café à son tour. Elle but lentement, sous le regard éteint du Chien.

— Dans la lettre, il dit qu'il t'aime plus depuis longtemps, expliqua-t-elle finalement. Que c'est pas à cause de ta maladie. Il dit qu'il a commencé à ne plus t'aimer bien avant tes premières crises.

— C'est possible, concéda Anne après avoir ruminé quelques minutes. Je me souviens plus très bien.

— C'est un maudit menteur! riposta Fanie avec un sursaut d'indignation. Moi, je m'en souviens! Il t'aimait encore comme au début quand t'as commencé à avoir tes paniques. Si ça se trouve, il t'aime encore, l'enfant de chienne. Mais tu lui as fait peur, ça fait qu'il s'est convaincu qu'il ne t'aime plus. Il a juste pas le courage de t'aider à t'en sortir! C'est un maudit lâche qui préfère se sauver.

La mère et la fille burent en silence dans la cuisine étincelante. La pièce était d'une propreté digne d'une publicité. Anne supportait de moins en moins la poussière, les taches, le désordre. Alors Fanie rangeait et frottait, parce qu'elle aimait sa mère.

— Toi, est-ce que tu l'aimes encore?

Anne ne dit rien.

— Tu sais ce qu'il dit d'autre, dans sa lettre ? Il dit qu'il va demander le divorce. Est-ce que tu veux divorcer, maman ?

Pas de réponse, mais Anne rentra le menton et parut se concentrer sur son alliance. Fanie maugréa un juron inintelligible, puis elle grommela :

— Moi, je pense que tu devrais.

— Mais si je divorce, Fanie, dit sa mère en s'animant tout à coup, qu'est-ce qui va m'arriver ?

— Ça, ça risque de dépendre de ce qui va m'arriver à moi.

— Qu'est-ce que tu veux dire ?

La voix d'Anne avait monté d'une octave, ce qui n'était jamais un bon signe. Mais, cette fois-ci, Fanie ne pouvait plus se permettre de la ménager. Elle s'arrima mentalement contre la tempête qui ne manquerait pas de se déclencher. Parfois, Anne se mettait à frapper les murs avec un abandon terrible. Ou elle se cachait sous la table, ululant sa détresse.

— Écoute, maman, si vous divorcez, c'est bien évident que papa va vouloir me garder avec lui.

Anne eut l'air hagard du militaire qui vient de recevoir un obus imprévu sur la margoulette. Mais la tempête ne vint pas. Le choc était trop grand. Anéantie, désemparée, l'artiste de la folie parvint péniblement à articuler :

— Mais si tu pars avec lui…, tu ne seras plus avec moi…

— Ça, c'est pas faux, maman.

En quelques phrases cruellement succinctes, Fanie lui résuma l'idée de son père : le divorce, la visite de la psychiatre, l'institution. À chaque mot, Anne s'écrasait un peu plus dans sa chaise. Elle rapetissait, elle se tassait, elle fondait comme un morceau de glace oublié au fond d'un lavabo.

— Le divorce, je veux bien, dit-elle, misérable. Je pense... que je l'aime encore, mais je ne peux plus vivre avec lui, je vois ça maintenant. Il est méchant.

Elle essuya furtivement une grosse larme ronde.

— Mais sans toi, Fanie..., je vais mourir... j'ai bien trop besoin de toi... Tu peux pas me laisser toute seule, hein ? Tu vas rester avec moi, on va rester ensemble, toutes les deux, hein ?

Elle se mit à sangloter bruyamment. Fanie se leva, ébranlée, la prit dans ses bras pour la consoler. Elle n'était plus la fille de cette femme, elle était sa mère, une mère avec une enfant terrifiée qu'il fallait protéger. Anne avait seulement le corps d'une femme dans la quarantaine. Sa maladie l'avait rajeunie, l'avait ramenée à l'âge de cinq ans. Une petite fille de cinq ans avec des seins, des rides et un large vocabulaire.

— Je le sais que je suis folle, Fanie, murmurait-elle à travers ses geignements. Je le sais, mais j'arrive pas à guérir, j'y arrive juste pas. J'ai tellement peur, Fanie, j'ai peur de tout ! Si tu pars, j'aurai plus personne de mon bord... et je vais mourir...

Ce genre de commentaire révoltait Fanie. Elle n'avait pas à être prise en otage par aucun de ses parents, merde ! Ni son père ni sa mère n'avaient le droit de lui faire subir ça ! Ce n'était pas juste. Les rôles étaient complètement inversés.

— Dis pas ça, maudit ! s'écria-t-elle en se cabrant, avec plus de rudesse qu'elle n'aurait voulu. Tu mourras pas. Je vais faire mon possible pour rester avec toi, je te le jure. Je te le jure, maman.

Anne s'agrippait à Fanie, ses doigts laissaient des marques blanches sur la peau de sa fille, des stries qui tournaient ensuite au rougeâtre. L'adolescente se secoua, la repoussa doucement mais fermement, retourna s'asseoir. Elle demeura longtemps songeuse. Puis elle s'ébroua et envoya une bonne claque sur la table. Anne sursauta.

— Bon ben, dit Fanie, c'est ça. Tu connais la situation, maintenant. Qu'est-ce que tu vas faire ?

— Moi ?

Anne ouvrit la bouche, l'air complètement perdue. Son visage était fripé et marqué par les larmes. Elle se moucha avec un bruit de corps de clairons. Fanie prit une grande inspiration fatiguée.

— Maman..., papa veut obtenir ma garde. Mets-toi à la place du juge. D'un côté, mon père, prof de cégep depuis douze ans, donc avec un emploi et un revenu stable. Une nouille, mais ça se voit pas. De l'autre, ma mère, folle à enfermer, pas capable de répondre à la porte sans péter au frette. Papa est un pourri qui s'est sauvé, mais c'est une question de moindre mal. S'il se met à brailler et à dire qu'il regrette, qu'il a paniqué, mais qu'il va se reprendre – et regardez monsieur le juge, voici le bail de mon nouvel appartement et mes papiers bancaires –, penses-tu qu'il va lui falloir bien des délibérations, au juge, avant de faire son choix ?

— T'aimerais mieux aller vivre avec ton père ? dit Anne, la voix chevrotante.

Fanie roula des yeux horrifiés.

— Non ! Si je peux pas rester avec toi, j'aime mieux aller dans une famille d'accueil. Honnêtement, avec la situation comme elle est, si j'étais le juge, c'est ça que je déciderais. Mais j'en ai pas envie non plus. Je veux pas de papa, je veux pas de famille d'accueil, je veux toi. C'est pour ça qu'il faut que tu m'aides, comprends-tu ? Faut qu'on se débrouille pour qu'un juge trouve que l'idée de me laisser avec toi est pas complètement débile.

Anne opina, mais il était clair qu'elle ne saisissait pas la portée des paroles de Fanie.

— Qu'est-ce que tu veux que je fasse ? dit-elle gravement.

— Essaie de t'aider toi-même. Sors dehors avec moi.

La respiration de sa mère accéléra immédiatement, chuintante.

— Fanie, tu sais que je suis pas capable..., chuchota-t-elle, luttant contre la nausée. Je suis pas capable.

— Mais maman, t'as plus le choix. Si tu le fais pas avec moi, je vais... je vais... appeler un docteur.

— Non ! Pas un docteur ! Je veux pas aller à l'hôpital, Fanie ! Promets-moi que tu les laisseras jamais m'emmener !

Elle se remit à pleurer, elle ne se maîtrisait plus du tout. Fanie essaya bien de placer un mot, mais sa mère babillait sans plus la regarder ni l'écouter.

Elle ne criait pas, elle parlait même tout bas, sans respirer. Une longue litanie de peurs et de cauchemars à la limite de la cohérence.

— Si tu m'abandonnes dans un hôpital, je pourrai pas survivre, Fanie! Je vais mourir, m'entends-tu? Je le sais que je serai pas capable de me contrôler, je vais avoir trop peur, ils vont m'attacher sur le lit puis ils vont me brancher sur plein de machines ils vont me bourrer de drogues ils me laisseront plus jamais me relever plus jamais puis je te reverrai plus puis je vais mourir ils vont m'oublier là je vais mourir tout le monde va m'avoir oubliée et je vais mourir toute seule…

— MAMAN, MERDE! aboya Fanie en la secouant de toutes ses forces. FERME-LA!

Elle la gifla brutalement – ça semblait toujours fonctionner dans les films. Anne tressauta, s'étouffa et fut prise d'une violente quinte de toux.

— Arrête de dire des affaires comme ça! reprit Fanie avec colère, effrayée par son geste, mais déterminée à tout dire pendant que sa mère avait l'air un peu consciente. Si tu penses que je vais rester juste si tu me fais sentir coupable, t'es royalement dans les patates! Si tout marche comme je veux, je m'en irai nulle part. Mais s'il faut que je parte, tu mourras pas. Papa va t'envoyer dans un centre de thérapie, c'est tout. Puis ils vont peut-être même te guérir! As-tu déjà pensé à ça? Ça pourrait peut-être te faire du bien, une institution. Des docteurs, du monde qualifié, des médicaments, c'est pas une si mauvaise idée. Tu dis que t'arrives pas à guérir. T'essaies même pas! Tu restes dans ton coin à faire des mouches et des chiens et des mains et des fées, mais t'essaies même pas de guérir. Tu veux pas te faire soigner. J'ai jamais vu quelqu'un de bucké de même. Sais-tu c'est quand la dernière fois que tu es sortie ? Le 23 mai dernier. Six mois, maman. Ça fait six mois que t'as pas mis le nez en dehors de la maison. Faut que tu comprennes que c'est pas en te comportant comme ça qu'on va pouvoir rester ensemble. Va falloir que tu te remettes à fonctionner, maman. Peut-être pas comme t'étais avant, mais assez pour pouvoir sortir puis te trouver une job. Une job, tu m'entends ? On pourra pas vivre juste avec la pension alimentaire. On pourra même pas rester ici. C'est presque sûr qu'il va falloir déménager. Je te le dis, maman, on a du pain sur la planche.

Fanie souleva le menton de sa mère. Anne était dans un triste état, mais elle ne pleurait plus. Peut-être n'avait-elle plus de larmes. Ça lui arrivait de temps à autre, elle semblait remise, mais elle pleurait encore, des larmes inexistantes.

— Maman ? Tu m'écoutes ?

Anne hocha la tête en silence.

— Est-ce que t'as tout compris ce que je t'ai dit ?

— Oui.

Fanie lui donna un bref baiser sur le front. Elle sourit.

— Tu veux pas aller à l'hôpital, tu veux pas voir de docteur…, ça veut dire que c'est à nous deux de te guérir. Aussi vite que possible. Penses-tu qu'on va être capables ?

Anne termina son café. Ses épaules tremblaient encore, imperceptiblement. Fanie lava tout de suite les tasses et les rangea, sans même y penser. C'était devenu une seconde nature.

— Je sais pas. Je sais vraiment pas.

— Moi je pense que oui. Je vais être là pour t'aider, dit Fanie avec tendresse. Inquiète-toi pas. Papa parle de ma force de caractère. Moi, je traduis ça par ma tête de cochon. Il sait pas dans quel bateau il s'est embarqué. Viens, viens me montrer sur quoi tu travailles depuis deux jours. Je sais pas comment tu vas faire pour surpasser l'Ange Vert.

Elle lui prit la main, l'emmena vers l'atelier. Anne marchait d'un pas lourd et traînant, mais Fanie se sentait légère, mieux que depuis des mois.

— Fanie…, tu t'en iras pas, hein ?

— Va falloir qu'ils viennent me chercher, dit la jeune fille.

4
Capriccioso

Benoit n'en revenait pas. Il ne se reconnaissait plus. Deux jours après le spectacle du midi, voilà qu'il se trouvait à la porte d'une salle de classe bien précise, à attendre la cloche. Il avait feint une envie de pisser insupportable pour sortir de son cours à l'avance, il avait grimpé deux étages à la course et il était là, maintenant, à attendre Fanie Marronnier, gêné et timide comme un secondaire 3.

Il ne savait absolument pas pourquoi il n'était pas arrivé à chasser de son esprit l'image de la jeune fille en larmes. Pis encore, pourquoi ressentait-il cette drôle de tendresse envers elle chaque fois qu'il se remémorait l'incident ? Pourquoi avait-il cette extraordinaire envie de la serrer contre lui, de lui dire que tout allait s'arranger ?

Ces sentiments n'étaient peut-être pas aussi incompréhensibles que Benoit le croyait – à bien des égards, il se connaissait encore mal.

Dans le groupe Push-Poussez, à côté de personnalités aussi flamboyantes et impressionnantes qu'Alain et Dave, Benoit passait souvent un peu inaperçu. Il ne se l'avouait pas, mais ça le blessait sournoisement.

Il avait toujours vécu dans un environnement plutôt privilégié. Élevé dans de la ouate, comme disait sa mère. Pas de drames familiaux, pas de divorce, pas d'alcoolisme ni de violence. Pas de problèmes de drogue, pas de dépression, pas de pensées suicidaires. Assez d'argent pour ne pas avoir à s'en faire. Les vrais problèmes, les vraies tragédies lui étaient presque étrangers. Il était resté en retrait quand Kim avait été attaquée, quand Dave avait eu de sérieux démêlés avec les deux racistes, Couture et Jacob. À part un vague soutien moral, il ne s'était pas senti utile, il n'avait pas su quoi faire de concret pour soulager la douleur de ses amis. Et personne ne lui avait rien demandé. On n'avait pas eu besoin de lui. Ça lui avait fait un peu mal.

Et tout à coup, une fille se présentait avec les yeux pleins d'une peine indescriptible et se concentrait presque exclusivement sur lui. Elle avait, en quelque sorte, ignoré les autres membres du band, c'était à lui qu'elle s'était adressée et à personne d'autre. C'était tout à fait exceptionnel. Il aurait eu beaucoup de difficulté à décrire ses émotions, mais il se sentait maintenant une certaine responsabilité envers Fanie Marronnier.

Il n'en avait parlé à aucun des membres de Push-Poussez. Il se doutait que Jessica et Kim l'auraient accusé d'être un macho de la première eau qui ne s'intéressait à Fanie que parce qu'elle avait l'air vulnérable. Le gros mâle qui s'amenait boum boum boum pour protéger la pauvre petite fille sans défense. Le pire des stéréotypes sexistes. Était-ce vrai ? Benoit ne le savait pas. Il savait seulement que Fanie n'était pas du tout le genre de fille qui l'attirait d'habitude, mais qu'elle l'attirait indéniablement. Ce n'était pas de l'amour ni un coup de foudre ni même un désir d'amitié. C'était un impérieux besoin de savoir.

Il s'était renseigné à gauche et à droite. Il n'avait pas appris grand-chose. Fanie ne parlait presque à personne, elle n'avait pas vraiment d'amis. Elle semblait assez bonne en classe, mais elle ne travaillait en équipe que lorsqu'elle y était obligée. Elle ne faisait partie d'aucun groupe parascolaire : pas de sport, pas de club d'échecs, pas d'harmonie. Et c'était à peu près tout. Fanie Marronnier passait à travers le système scolaire québécois sans que personne s'en aperçoive. Rien de bien spécial, auraient dit certains cyniques.

La cloche retentit enfin et la porte donna l'impression d'exploser sous la pression de trente étudiants affamés. Benoit allongea le cou et aperçut la jeune fille qui rangeait méthodiquement ses livres dans son sac. Il lui envoya un grand signe de la main, joyeux, enthousiaste.

— Hey ! Hey, là !

Cinq ou six personnes lui lancèrent un coup d'œil interrogateur. Fanie vit Benoit, eut un sourire fugace, puis se rembrunit, penaude, certaine qu'elle avait mal interprété la situation.

— Fanie ! Fanie Marronnier !

Il y eut un mouvement d'étonnement parmi les étudiants, des murmures et des ricanements étouffés. Benoit secoua la tête, agacé. Était-ce si invraisemblable qu'il veuille parler à cette fille-là ?

Fanie, en tout cas, semblait effectivement trouver cela difficile à croire. Elle regarda Benoit, se montra du doigt, et ses lèvres formèrent silencieusement le mot « moi ? ». « Oui, toi ! » lui répondit le quatrième secondaire de la même manière. Pas de doute. Ramassant son courage, elle se fraya un chemin jusqu'à lui, ignorant de son mieux les commentaires chuchotés qui fusaient de toutes parts.

— Viens-tu manger ? l'invita-t-il avec entrain, pour masquer son trac. J'ai quelque chose pour toi.

Fanie n'était pas encore convaincue qu'il n'y avait pas erreur sur la personne.

— Pour moi ? dit-elle, incertaine.

— Ben oui ! Allez, viens. Kim nous attend à la cafétéria.

Il se mit en marche d'un pas leste. Fanie hésita, puis elle le rattrapa et marcha à ses côtés, un énorme sourire gelé sur les lèvres, impossible à déloger. Merde qu'il était cute ! Et maintenant, il avait même l'air gentil.

À la cafétéria, la surprise était considérable. Kim Beauregard et Benoit Gauvreau assis avec *Fanie Marronnier ?* La nerd qui ne savait même pas s'habiller ? Vraiment, on aurait tout vu.

Kim était aussi étonnée que tout le monde, mais uniquement parce qu'elle connaissait Benoit et que Fanie, on l'a dit maintes fois, n'était pas son genre de fille. Toutefois, Kim ne jugeait personne au premier coup d'œil.

— T'avais pas du tout l'air dans ton assiette quand on t'a vue au concert, dit-elle avec délicatesse. Ça va mieux?

— Euh… oui, mentit Fanie.

— Tant mieux.

Satisfaite, Kim s'attaqua à son sandwich. Les états d'âme de la petite troisième secondaire ne l'intéressaient somme toute qu'assez peu. Elle avait ses propres problèmes.

Benoit sortit un paquet de son sac et l'offrit à Fanie.

— Tiens, c'est pour toi.

C'était un disque compact. *Let's Dance,* de l'inévitable Bowie.

— C'est son album le plus peppé, expliqua Benoit. T'avais l'air tellement déprimée en écoutant *All the Madmen* que je me suis dit qu'un peu de musique swingante te ferait du bien. Ça met vraiment de bonne humeur, ce disque-là, je t'en passe un papier. On peut pas l'écouter sans se mettre à courir et à sauter partout.

Fanie était visiblement émue. Elle se mit à rire. Son rire était très sympathique et même charmant. Mais peu de gens le savaient à La Passerelle.

— C'est super gentil, le remercia-t-elle, confuse mais radieuse. Mais je danse pas, moi. Je danse jamais.

— Jamais? fit Kim, épatée.

— Jamais.

— Mon Dieu, ça me ferait mourir, moi. J'ai besoin de bouger pour me sentir en vie.

Fanie rit encore.

— Toi, tu danses bien. Quand tu chantes, tu danses bien.

— C'est juste ça, ton problème? Mais ça s'apprend, la danse, ma fille. C'est pas ben ben compliqué.

— Mais j'ai aucun rythme! protesta Fanie, pédalant pour se trouver des excuses.

— Eh bien, t'es devenue amie avec la meilleure personne pour régler ça, conclut Kim, triomphante. Benoit, il a plus de beat dans son gros orteil que la majorité des gens en ont dans tout leur corps. Hein, Benoit?

L'adolescent se trémoussa sur sa chaise.

— Je fais de mon mieux!

— T'es le meilleur, mon chou, puis tu le sais. Hey, Fanie, laisse-moi te conter la fois que…

Kim haussa les sourcils. Derrière Fanie, Benoit faisait valser ses bras dans tous les sens, comme s'il donnait un solo en concert. Des signaux, plus ou moins discrets, mais dont la signification était on ne peut plus claire: laisse-moi seul avec elle, j'ai des choses à lui dire, va-t'en, scramme, je te raconterai tout plus tard, disparais, merde.

Fanie se retourna, intriguée. Benoit baissa précipitamment les bras et affecta de trouver son casse-croûte absolument fascinant. Kim lutta pour ne pas exploser de rire.

— Écoute, reprit-elle, magnanime, je te raconterai ça une autre fois, o.k.? J'ai un examen de chimie cet après-midi, je ferais mieux d'aller réviser à la bibliothèque... On se reverra!

La belle chanteuse ramassa ses cahiers et s'éclipsa, non sans avoir décoché à Benoit un clin d'œil plus ou moins discret. Elle venait d'accumuler tout un stock de munitions pour taquiner son ami à la prochaine répétition de Push-Poussez.

Mais, sans Kim pour faire du bruit à leur place, Benoit et sa compagne s'aperçurent que la conversation n'était pas aisée. Benoit, d'ordinaire volubile, découvrait avec stupeur qu'il ne savait pas quoi dire. Ils mangeaient sans un mot, sans un regard. Finalement, n'y tenant plus, Fanie prit le disque et bafouilla:

— Tu sais, t'étais... t'étais pas obligé de me donner ça... Je t'ai juste demandé un renseignement, j'aurais même pas dû aller vous déranger...

— Tu me dérangeais pas du tout, répliqua Benoit, trop heureux que la glace se brise. Ça nous fait toujours plaisir quand le monde vient nous parler après un show...

Une autre minute de silence. La glace, plutôt tenace, se reformait rapidement.

— Écoute, dit Fanie avec sérieux, je veux pas que tu penses que ça me fait pas plaisir. Au contraire, je crois que c'est la plus belle chose qui me soit arrivée depuis un bon bout de temps. Je te trouve ultra sympathique. Mais je suis pas nouille non plus. Je le sais que je suis pas… le style de fille qui pogne…

Elle prit une grande inspiration. Même lorsqu'on se targue d'être pragmatique et réaliste, ni plus ni moins, ce genre d'aveu est douloureux à faire, surtout quand l'interlocuteur est Benoit Gauvreau.

— Pourquoi tu t'es donné la peine d'aller m'acheter un cadeau comme ça, Benoit?

L'adolescent se passa une main dans les cheveux, en grimaçant. Comment lui faire comprendre alors qu'au fond il ne le savait pas non plus?

— Je te l'ai dit, répondit-il sans grande conviction. Pour te mettre de bonne humeur. Quand je t'ai vue si triste, l'autre jour, je me suis senti tellement tout croche, j'ai eu de la misère à dormir. C'est difficile à expliquer. D'habitude, je m'occupe de ma petite affaire dans mon coin, je m'embarque pas dans les histoires des autres. Mais toi, je sais pas pourquoi, j'ai eu le goût de savoir c'était quoi ta peine. Parce que ç'avait pas l'air tèteux comme les peines de beaucoup de monde, tu sais, t'avais pas l'air de t'être fait sortir d'une gang ou d'avoir cassé pour la quinzième fois avec ton tarla de chum… T'avais l'air d'avoir vraiment mal…

Il haussa les épaules. Il s'écoutait parler, il se trouvait quétaine et il s'en foutait.

— Puis moi, conclut-il, je veux savoir si je peux t'aider.

Il la fixa quelques secondes dans les yeux. Fanie détourna la tête. Malgré la solennité du moment, elle avait une furieuse envie de rire. Et de se pincer.

— Vas-tu me le dire? fit-il doucement. Vas-tu me faire confiance, Fanie Marronnier?

Fanie avala une gorgée de jus d'orange. Elle affichait un air posé, mais dans sa tête, un ouragan soufflait. Tout arrivait trop vite. Elle pensait à cette offre qui semblait si vraie, si généreuse. Be-noit-Gau-vreau-lui-par-lait! Il la regardait, l'appelait par son nom, voulait l'aider! Elle fut soudain horriblement consciente de ses vêtements sans éclat, de sa peau blanche comme du fromage, de ses cuisses trop lourdes. Une vague de nausée menaça de l'engloutir, une panique qu'elle combattit avec rage: pas question qu'elle perde les pédales comme sa mère. C'était lui qui l'avait abordée, elle n'avait pas à se sentir honteuse de son apparence. Elle ne lui devait rien.

Mais elle ne pouvait se résoudre à tout avouer à ce drôle de gars.

— C'est pas une question de te faire confiance ou non, dit-elle. C'est juste que c'est des histoires de famille, tu comprends? Des histoires de famille, ça se règle en famille.

Benoit fit la moue. Une alarme venait de sonner dans sa tête.

— Tu me diras rien, hein? grogna-t-il, dissimulant plutôt mal sa frustration.

Fanie rangea le disque dans son sac.

— Merci quand même. C'est gentil de vouloir m'aider.

— Si tu trouvais ça gentil pour vrai, tu me *laisserais* t'aider, maugréa-t-il.

Ils mangèrent. Benoit aurait voulu insister, mais il n'osait plus. Comment aider quelqu'un qui ne veut même pas expliquer ce qui ne va pas? Il ne se sentait pas tout à fait à la hauteur et il n'aimait pas ça du tout. Il était convaincu qu'il serait incapable de laisser tomber, d'oublier cette histoire.

— Tu vas au moins venir à notre prochain concert? demanda-t-il en désespoir de cause.

— Évidemment. J'en manque jamais un.

Benoit lui décocha un sourire en coin.

— Ah, mais ce coup-ci, t'es l'invitée officielle de Benoit Gauvreau. Tu m'excuseras, il me reste plus de carte de VIP… mais t'as juste à me dire que c'est moi qui t'envoie, il y aura pas de problème! conclut-il, paraphrasant Paul et Paul, le trio comique des années 70, qui s'était transmuté, au fil des années, en Ding et Dong, puis en le Pôpa et la Môman de *La P'tite vie.*

À sa grande satisfaction, Fanie s'ébaudit et faillit renverser sa cannette de jus.

C

Cet après-midi-là, Benoit eut beaucoup de difficulté à se concentrer sur ses cours. La voix de Fanie rebondissait sans trêve dans sa tête:

« C'est des histoires de famille. »

Des histoires de famille aussi graves, il n'en connaissait pas des tonnes. Benoit était sûr qu'il avait percé le secret de la jeune fille. Elle était victime de violence ou d'abus sexuel.

Et merde, il n'allait pas rester dans son coin à faire semblant qu'il ne savait rien.

DEUXIÈME MOUVEMENT

5
Lagrimoso

Les mains d'Anne, vieillies par le métier, veines saillantes et jointures blanchies, étaient douloureusement serrées autour de la Reine des Fées. La mère de Fanie agrippait sa sculpture comme s'il s'agissait d'un talisman, elle la tenait devant elle comme un bouclier. Elle gardait ses yeux humides farouchement braqués sur la poignée de la porte de derrière. Elle avait peine à respirer. Elle haletait. Elle avait peur.

La main de Fanie, joliment potelée, était résolument serrée autour de la poignée. Tout à l'heure, avec beaucoup de cérémonie, elle avait décroché la Reine des Fées du plafond de la chambre à coucher et l'avait solennellement présentée à sa mère. C'était le moment ou jamais de vérifier si les sculptures qui envahissaient la maison avaient un véritable pouvoir calmant.

— Ça va, maman ? demanda-t-elle, en tentant de cacher son trouble.

Anne avala sa salive.

— Oui, dit-elle d'une voix cassée.

Fanie n'était plus aussi sûre qu'elle s'y prenait de la bonne manière. Dès que sa journée d'école s'était terminée, elle avait couru jusqu'à la maison, pressée de mettre son plan à exécution. Mais à regarder sa mère maintenant, les cheveux en bataille, la sueur sur les tempes, les yeux papillonnants, sa pathétique poupée porte-bonheur serrée contre sa poitrine, Fanie se prenait à douter d'elle-même.

— Es-tu prête, là ? Je vais l'ouvrir.

Anne hocha craintivement la tête.

— O.k. Attention. Regarde ma main, là, concentre-toi sur ma main qui tourne la poignée. Oublie la porte, pense juste à ma main, pense juste au fait que c'est moi, ta fille qui t'aime puis qui te veux aucun mal, c'est moi, Fanie, qui ouvre la porte…

Tout en parlant, Fanie faisait jouer la poignée, lentement, très lentement, tendant l'oreille, attentive au déclic du pêne qui lui indiquerait que la porte n'avait plus qu'à être poussée. Elle ne cessait de parler, gardant un ton posé, hypnotique, maintenant le contact oculaire avec sa mère.

Puis elle ouvrit la porte.

C'était une très belle journée d'automne. Il n'était pas très tard, mais le soleil tombait déjà, inondant la cour de cette étrange lumière jaune d'après-midi qui rend toutes les couleurs encore plus brillantes. Les feuilles du vieil érable étaient déjà presque toutes tombées et gisaient çà et là en larges taches rouges et orangées.

Anne Marronnier poussa un petit cri plaintif. Elle regardait l'univers extérieur pour la première fois depuis des mois. Glacée d'horreur, elle étreignait la Reine des Fées avec tant de force que la statuette menaçait de se briser entre ses doigts crispés comme des griffes. C'était si beau, dehors. Mais c'était si dangereux ! S'il fallait qu'elle ait une crise de panique, une de ses épouvantables crises qui la faisaient s'écraser dans un coin, incapable de bouger, incapable de communiquer ni même de penser… Quand elle était à la maison, ce n'était pas si effrayant : l'endroit lui était familier, elle se savait en relative sécurité, et Fanie était souvent tout près. Mais dehors ! Dans ce monde vaste et indifférent, où elle ne connaissait personne, n'importe quoi pouvait arriver n'importe quand ! Avec des conséquences funestes.

Anne Marronnier avait peur d'avoir peur.

Fanie sortit dehors, fit quelques pas dans les feuilles racornies, apprécia leur craquement sous ses pieds. Puis elle se retourna et s'étira vers sa mère.

— O.k., maman. Regarde toujours ma main. Je suis sortie, là, et il m'est rien arrivé. Viens me rejoindre. Je suis là, je m'en vais nulle part. Je reste avec toi. Viens me rejoindre. Viens, tu refroidis la maison.

Anne ne bougea pas. Les paupières plissées en accordéon par l'énergie désespérée avec laquelle elle gardait les yeux fermés, elle respirait de plus en plus vite. De grosses perles de transpiration tremblaient sur son front et dans son cou.

— Maman, reprit Fanie patiemment, je sais que t'as peur. Mais t'as plus le choix. C'est ça ou l'asile. Tu comprends ? Allez. Tiens bien la Fée et avance tranquillement. Regarde, t'as juste quelques pas à faire pour me prendre la main. Ouvre les yeux, regarde. Viens-t'en, maman.

Sa mère se secoua. Un long frémissement visiblement incontrôlable. Puis elle s'approcha de l'embrasure de la porte. Elle passa la tête dehors, en se cramponnant au cadre de bois.

— C'est beau, maman ! s'exclama Fanie, rayonnante. Tu fais ça comme une pro. Viens me voir, t'es presque rendue.

Anne essaya de sourire, sans y parvenir tout à fait. Mais Fanie avait bien vu les lèvres de sa mère se soulever d'un millimètre. C'était extraordinaire.

— J'ai pas besoin de fermer la porte, hein, Fanie ? marmotta Anne. Je veux pas la fermer.

Fanie grinça des dents, déçue.

— Mais maman, on refroidit toute la maison.

— Je m'en fous ! siffla sa mère furieusement. La porte reste ouverte, merde !

Fanie se maudit intérieurement. Il ne fallait pas l'énerver, bon sang ! Ça se déroulait encore mieux que prévu. Ce n'était pas le temps de se préoccuper du stupide chauffage de la stupide maison.

— O.k., o.k., maman, c'est correct. La porte va rester ouverte. La maison t'attend, elle non plus elle s'en va pas nulle part. Mais t'as pas besoin de rentrer, hein ? Regarde autour de toi, t'es quasiment rendue dehors puis il y a pas eu de problème. C'est pas si pire que ça, l'extérieur.

Elle désigna le jardin autour d'elle, la pelouse, les arbres, les feuilles.

— C'est même plutôt beau. Les couleurs, les formes.... Ça doit être inspirant pour une artiste comme toi, non ?

Anne suivit le geste de Fanie du regard.

— C'est sale, dit-elle en tirant la langue.

— Ah, voyons, maman, rétorqua Fanie, amusée malgré elle. C'est ni propre ni sale, c'est *dehors.* Le gazon, la terre, c'est pas sale... c'est juste *là.*

Anne s'avança encore un tout petit peu, mais les semelles de ses espadrilles demeurèrent dans la maison, comme si elles étaient soudées au plancher.

— C'est grand, dit-elle.

Fanie se frotta les tempes du bout des doigts, incrédule.

— Grand ? Grand ? Ris-tu de moi ? C'est un vrai dix cents, cette cour-là ! Et en plus, on peut presque dire qu'elle est pas dehors, la cour, avec notre grosse clôture ! C'est complètement fermé, c'est comme si tu sortais pas de la maison ! Non mais regarde-la, la clôture...

Fanie pivota sur les talons, l'index levé, pour bien mettre l'accent sur son commentaire. Sa phrase s'étrangla dans sa gorge, dans un drôle de gargouillis.

Quelqu'un les observait par-dessus la clôture.

C'était Benoit.

C

Il était grimpé aux planches de bois et les contemplait sans bruit. Il avait l'air tout à fait hébété, en état de choc. Depuis combien de temps les écoutait-il, ainsi perché ?

Anne ne l'avait pas remarqué, grâce à Dieu. Un petit espion de ce genre lui aurait totalement fait perdre la tête. Fanie jura à mi-voix, honteuse malgré elle. Quelle situation idiote. Il se déplaçait pour la visiter, il s'inquiétait à son sujet et la première chose qu'il voyait, c'était sa mère qui faisait ses premiers pas, comme un bébé. Il allait la trouver parfaitement folle. Et il devait sûrement se dire que sa mère… oh, elle préférait ne pas y penser.

De toute façon, elle n'avait pas le temps d'y penser. Sa priorité, c'était Anne.

Dardant un regard autoritaire vers Benoit, qui n'avait toujours pas bougé, elle lui fit « chut » en posant un doigt sur ses lèvres. Puis elle fit de son mieux pour l'ignorer et accorder toute son attention à sa mère, qui reculait lentement mais sûrement vers le ventre chaud et réconfortant de la maison. Anne perdait confiance.

— Maman, écoute-moi, continua Fanie, austère. C'est pas si grand que ça… C'est juste notre jardin, bon sang…

De nouveau, elle tendit la main.

— Viens me rejoindre, maman.

Anne hésita, baissa la tête vers sa Reine des Fées.

— Quoi, maman ? J'ai pas entendu.

La femme bafouilla.

— Je suis pas capable.

Fanie serra les poings, combattit une forte envie de hurler de frustration. Elle se contrôla, se força à sourire.

— Maman, c'est pas vrai. Il faut que tu le fasses. Sors de ton trou, maman. Si t'es pas capable juste pour toi, fais-le parce que je te le demande. Fais-le parce que tu m'aimes. Fais-le parce que tu veux pas me perdre. Si tu restes enfermée dans la maison et dans ta tête, c'est ça qui va arriver, maman ! Je pourrai rien faire quand papa va se pointer avec sa docteure. Sors, marche, viens me rejoindre, si tu veux pas me perdre pour toujours.

Fanie reprit son souffle. D'avoir à recourir à ce genre de chantage lui répugnait, mais elle ne voyait plus d'autre possibilité. Dans l'embrasure de la porte, Anne pleurait de tout son être, dans le silence le plus absolu. Une peine de film muet, où l'acteur doit secouer ses épaules pour qu'on reconnaisse sa tristesse.

— Je veux pas te perdre, Fanie, dit-elle tout bas.

— Alors viens-t'en, maman. Là, t'es comme morte en dedans. Je veux plus d'une mère fantôme. Je veux plus d'une mère zombie. Je veux ma mère, ma vraie mère qui est enfermée dans ta tête depuis tout ce temps-là. Viens-t'en. Recommence à vivre.

Fanie se tut. Elle n'avait plus rien à dire, elle avait mal à la gorge à force de retenir ses propres larmes. Elle attendit.

Pendant une minute, Anne eut l'air de lutter âprement contre elle-même. Elle vacillait, gémissait, comme si elle était saoule. Elle s'approchait de la porte, lançait des regards apeurés dehors, reculait comme si elle s'était brûlée.

Il y eut un craquement sec et la Reine des Fées rebondit sur le plancher, en deux morceaux. Avec un bruit feutré, les jambes et le tronc de la poupée mutilée s'immobilisèrent sur le pas de la porte, comme les restes déchiquetés d'un chat sur le bord d'une route. Le visage de la Fée n'avait pas changé, mais ses yeux immobiles, sans paupières, semblèrent à Anne posés sur elle en une silencieuse et macabre accusation. Anne hoqueta, redoubla de sanglots et s'enfuit dans la maison en poussant une longue plainte suraiguë.

Elle n'avait pas mis un pied dehors.

Le premier geste de Fanie avait été de suivre sa mère en courant. Elle se retint pourtant, car elle ne se faisait pas confiance. Elle n'aurait pu s'empêcher de l'engueuler, tant sa déception était grande. Mieux valait se calmer d'abord. Elle poussa un profond soupir de découragement.

Les épaules basses, elle alla ramasser le cadavre de la Fée. Un coup d'œil lui confirma que la sculpture était irrécupérable. La cassure était une forêt d'un millier de longues échardes qui s'étaient cassées à leur tour. On aurait dit que la Fée s'était déchirée comme une étoffe, une étoffe solide. Anne n'aurait plus qu'à en refaire une autre. Quant à celle-ci, Fanie résolut de toujours la garder dans sa chambre, pour se rappeler qu'on ne change personne en une journée.

L'adolescente revint dans le jardin et s'assit lourdement à la table de pique-nique. Sans regarder, elle l'invita :

— Viens, Benoit. Si tu veux, je vais t'expliquer.

C

Benoit, abasourdi, commença à se hisser bêtement par-dessus la clôture. Fanie se leva et vint le rejoindre.

— Attends, casse-toi pas la gueule, je vais t'ouvrir.

Elle souleva le crochet de la barrière. Le large panneau de bois à la peinture bosselée grinça méchamment avant de s'abattre contre le mur. Fanie prit note de huiler les gonds.

— Reste pas pendu là. Descends.

Benoit eut l'air de se réveiller. Il se laissa retomber par terre.

— Viens, on va parler, dit Fanie.

Benoit suivit la jeune fille jusqu'à la table de pique-nique. Il se sentait tout petit. Il se força tout de même à articuler :

— Si… euh… si tu veux aller la voir, je peux m'en aller…

Fanie s'assit sans répondre. Benoit se balança sur les talons, mal à l'aise, puis il prit place à son tour. Il observa l'adolescente à la dérobée. Elle gardait un visage parfaitement neutre, sans tristesse ni joie ni frustration. Sa bouche était petite, les lèvres entrouvertes dans une attitude complètement relaxe que Benoit trouva mignonne. Il découvrait sans cesse des petites choses, des détails qui la rendaient attirante, sans qu'il la considère vraiment jolie pour autant. C'était tout nouveau pour lui.

— Comme ça, fit soudain Fanie, tu me suis jusque chez nous.

Elle rit tout bas.

— Je vais finir par croire que t'es sincère. Veux-tu bien me dire ce qui t'a pris?

Benoit secoua la tête, l'air de dire « Fouille-moi », puis il bégaya:

— Je... je pensais que... je pensais que tes parents te battaient... ou qu'ils te faisaient des affaires... euh... sexuelles... de l'inceste... Tu sais? Je voulais juste... euh...

Fanie se marrait. Elle éclata d'un long rire sauvage, qui lui échappa comme un cheval emballé.

— Ben quoi? s'offusqua Benoit, gêné, piqué au vif. C'était pas si débile que ça! Je voyais bien que c'était grave et tu m'as dit que c'était des histoires de famille! Évidemment, moi, j'ai tiré des conclusions, c'est pas compliqué! Qu'est-ce que t'aurais pensé, à ma place?

— Je sais pas, gargouilla Fanie en s'essuyant les yeux, je sais pas du tout. Excuse-moi, c'est juste que c'est tellement drôle... Mes parents sont loin d'être exemplaires, mais ils me toucheraient jamais. Ma mère m'aime trop et mon père est trop lâche, il aurait peur de se faire pogner... Merde, il aurait carrément peur que je lui casse la gueule! C'est vraiment une drôle d'idée.

Le silence retomba entre les deux adolescents. Benoit se sentait ridicule. Pour s'empêcher de se plier et de se déplier comme un écolier timide, il prit les morceaux de la sculpture d'Anne et les fit tourner dans ses mains, admirant la qualité du travail de l'artiste. Le bois était façonné de façon exquise, poli et verni jusqu'à donner l'impression d'un morceau de glace beige. La robe verte avait été réalisée avec un soin méticuleux, voire maladif, et Anne avait patiemment brodé sur le tissu des dizaines de minuscules motifs d'inspiration celtique. Benoit examina le visage de la petite fée et s'étonna de sa ressemblance avec celui de Fanie : les yeux ronds, le nez droit, la bouche tombante et la même expression retirée, comme si elle ne voulait montrer son âme à personne.

— C'est ma mère qui a fait ça, dit Fanie.

— C'est beau, souffla Benoit.

Il ne s'y connaissait que fort peu en arts visuels, mais même lui était capable de reconnaître qu'Anne Marronnier possédait un talent hors du commun.

— Ma mère est folle, dit Fanie.

Que peut-on répondre à un commentaire de ce genre ? Benoit eut beau se creuser la tête pour être gentil, subtil et réconfortant, tout ce qu'il trouva à dire, c'est :

— Ah bon.

— C'est ça, ma peine, continua Fanie. J'ai une mère folle et un père peureux.

La jeune fille soupira.

— Mais j'ai surtout une mère folle.

6
Semplice

Fanie déposa la tasse de chocolat chaud sur la table et retourna au comptoir se préparer un café. Benoit, assis à la table de la cuisine, avait vraiment besoin d'un remontant. Il prit une grande gorgée du liquide bouillant qui coula en lui comme de la lave sucrée. Ses yeux s'embuèrent de douleur et il dut serrer les dents pour ne pas hurler. Quand il eut retrouvé la voix, il demanda, en tendant le doigt:

— C'est quoi, ça?

— Je te présente le Chien, répondit Fanie en venant s'asseoir près de lui.

— C'est ta mère qui l'a fait aussi?

— Oui. Celui-là, le Morse dans le corridor, les Fées dans la chambre, les... oh, puis viens avec moi, tu vas bien voir...

Fanie fit visiter la maison à Benoit, en commentant chacune des sculptures devant lesquelles ils passaient, comme si le bâtiment s'était véritablement transformé en musée. Le musée de la démence d'Anne Marronnier.

— Ça a commencé quand j'avais sept ou huit ans. On sait même pas ce qui a pu se passer dans la tête de ma mère, mais tranquillement, elle s'est mise à changer. Au début, c'était rien de grave, juste des petites choses, des lubies, des manies, tu sais ? Par exemple, elle voulait presque plus conduire, elle demandait toujours à mon père de le faire à sa place. En auto, elle était super stressée, elle en devenait dangereuse. Elle disait que les gens faisaient exprès pour la couper. Tout le monde dit ça, c'est sûr, c'est pour ça qu'on s'inquiétait pas, mais ma mère, elle le pensait pour vrai, elle était convaincue que le monde lui en voulait personnellement. Puis elle est devenue une vraie freak de la propreté. Mais une vraie freak, là, pas juste un peu embarquée dans le lavage et le repassage. Elle se lançait dans des grands ménages qui duraient des jours. Avant de partir, le matin, et dès qu'elle revenait de travailler, le soir, elle frottait, elle récurait, elle lavait à grande eau puis là, il fallait rien toucher dans la maison, sinon elle virait hystérique. C'était pas facile facile à vivre, mais il y a bien des femmes de même au Québec et elles sont pas toutes folles…

Ils passèrent sous l'Ange Vert, dans le hall d'entrée. Benoit s'extasia devant la sculpture, ébahi par la grandeur, la majesté de l'objet.

— C'est un de ses derniers, celui-là, fit remarquer Fanie. Il est supposé l'aider à répondre à la porte quand ça sonne. Il est accroché là depuis deux semaines et c'est encore moi qui réponds à sa place. Quand je suis pas là, elle fait comme si elle avait rien entendu. Puis, en plus, avec cette affaire-là au plafond, la porte s'ouvre presque plus.

Avec révérence, Fanie leva la tête vers l'Ange, telle une pèlerine en prière. Le visage aux yeux martelés la dévisageait sans la voir, ses ailes à jamais déployées dans un envol factice. Pourtant, sous ces ailes, Fanie se sentait bien.

— C'est drôle, dit Benoit timidement, mais moi, je le trouve apaisant, son ange. Il est tellement beau. Il a l'air tellement tranquille, au-dessus de ses affaires… littéralement, si tu vois ce que je veux dire…

Fanie cligna des yeux, plaisamment étonnée.

— Moi aussi, je trouve ça, dit-elle avec émoi. C'est plate que la seule personne qui se sente pas calmée et protégée par les sculptures, c'est celle qui en a le plus besoin. Le monde est mal fait.

— C'est la mise en scène qui est pourrie, décréta Benoit.

— Pardon ? pouffa Fanie.

— C'est quelque chose qu'Alain dit souvent. Il dit que la vie aurait besoin d'une meilleure mise en scène. Ça choque assez Dave. Il est très très croyant, lui, tu vois, ça fait qu'il trouve que c'est comme blasphémer de dire ça… vu que le metteur en scène de la vie, c'est… euh, ben c'est Dieu… en tout cas, d'après lui…

Ils se dirigeaient maintenant vers la chambre de Fanie. La pièce était spartiatement meublée, mais dénotait un goût sûr : un futon noir sur une base de lattes, une petite table de nuit en bois verni, un bureau composé d'un grand panneau en équilibre sur deux tréteaux. Au-dessus du lit, l'affiche américaine du film d'animation japonaise *Spirited Away*.

Il n'y avait là aucune des sculptures d'Anne Marronnier. Sauf une, maintenant : Fanie plaça sereinement sur son bureau les restes de la Reine des Fées.

Benoit s'approcha d'une série d'étagères. Quelques dizaines de livres y étaient sagement alignés : des œuvres de Boris Vian et de Marcel Aymé, la science-fiction d'Asimov, l'humour britannique de P. G. Wodehouse et l'inventif délire verbal d'Anthony Burgess (en anglais), Gabriel García Márquez en espagnol et une série de bandes dessinées japonaises – en japonais. Benoit, intrigué, en attrapa une au hasard et fut surpris de voir qu'on devait la lire à l'envers : la page couverture correspondait au dos d'un volume occidental.

Lorsqu'il en fit la remarque, Fanie secoua la tête, amusée.

— Tu dois bien être un des seuls qui ne savent pas que les mangas se lisent de droite à gauche. C'est tellement rendu populaire, ces bédés-là, il y a plus rien d'exceptionnel à être un fan.

Benoit ne lisait pas beaucoup, c'était vrai – la popularité des mangas lui avait toujours échappé. Baissant les yeux sur le livre, il put lire le titre, lequel était inscrit en anglais au milieu d'un tas de pictogrammes et d'idéogrammes : *Dragon Wars.* Il feuilleta rapidement le bouquin, impressionné par cette esthétique nippone très particulière qui donne à peu près à tous les personnages les mêmes grands yeux en soucoupes et les mêmes nez minuscules et sans narines.

— Évidemment, dit Fanie avec une certaine fierté, les lire en japonais, c'est plus rare.

Il sursauta.

— Tu veux dire que tu regardes pas juste les images ? Tu parles-tu toutes ces langues-là ?

— Quelles langues ? renvoya Fanie, sans comprendre. Ah, les autres bouquins. Ben, euh, oui. Bon, le français, c'est ma langue maternelle, j'ai pas vraiment de mérite. My English is as polished as it'll get in this lifetime. Yo hablo español perfectamente. Shikashi, watashi no nihongo wa mada amari yokunai desu[8]. Mais ça fait juste trois mois que j'ai commencé.

— Wow, souffla Benoit en replaçant la bédé. Là, tu m'impressionnes sur un moyen temps. Moi, je parle juste une langue et demie. Mon anglais est loin d'être excellent ; quand Dave nous arrive avec une nouvelle toune, d'habitude, il faut qu'il la lise tranquillement et qu'il me traduise deux phrases sur trois. La seule autre personne que je connaisse qui parle plus de deux langues, c'est Jessica, mais elle, c'est pas pareil, elle a comme qui dirait pas le choix… Sa troisième langue, c'est le yiddish, tu vois ; vu qu'elle est juive, c'est comme une affaire culturelle, il faut qu'elle parle cette langue-là, au moins pour faire plaisir à sa grand-mère. Mais

---

8. Mon anglais ne s'améliorera pas beaucoup avant ma mort. Je parle parfaitement espagnol. Toutefois mon japonais n'est pas encore très bon.

quatre langues, là, juste pour le trip, c'est plutôt fort.

Fanie s'empourpra d'orgueil malgré elle.

— J'aime ça, les langues, se justifia-t-elle avec embarras. J'ai une mémoire assez phénoménale, alors c'est pas si difficile que ça pour moi d'en apprendre plusieurs. C'est à peu près le seul vrai talent que j'ai. J'en prends soin.

Elle se laissa choir sur son lit et y demeura étendue sur le dos, les bras ballants. Ses seins tombaient de chaque côté de son torse, tendant le tissu de son chandail. Après un moment, Benoit s'agenouilla près d'elle. Timoré, il demanda :

— Tu pourrais m'apprendre ?

— Mmh ? T'apprendre quoi ?

— Les langues. Perfectionner mon anglais. Me montrer le japonais... Elles sont belles, tes bandes dessinées, j'aimerais ça comprendre les histoires...

Il espérait qu'elle ne verrait pas à travers ce petit mensonge. Il n'avait rien à cirer des mangas, surtout pas en japonais, mais il aurait dit à peu près n'importe quoi pour se rendre intéressant à ses yeux.

— C'est vrai qu'elles sont belles, acquiesça Fanie avec un réel enthousiasme au fond de la voix. Les Japonais font les meilleures bédés du monde.

Elle se souleva sur un coude.

— Pourquoi pas, dans le fond ? Si ça te tente... mais je sais pas si je serais un bon prof...

Il y eut un long moment d'un silence significatif. Les deux adolescents avaient complètement oublié Anne. Ils apprenaient à se connaître. Benoit trouvait la jeune fille de plus en plus fascinante. Et Fanie se prenait à croire qu'il s'intéressait vraiment à elle, qu'il ne s'agissait plus que de pitié. Il y avait si longtemps que quelqu'un lui avait réellement parlé… et voilà que *Benoit Gauvreau,* qu'elle admirait de loin depuis des mois, était là, dans sa chambre, à lui demander des leçons de japonais. Extraordinaire. La vie est drôlement faite. « On ne sait jamais », comme disait le Petit Prince.

— Finis-tu l'histoire de ta mère ?

Fanie s'assit d'un mouvement sec, l'ambiance feutrée et romantique d'un seul coup disparue. Elle se sentait soudain atrocement coupable. Ses priorités, merde.

— Euh, ou-oui, oui, bégaya-t-elle, j'allais j-justement…

Elle croisa les bras et prit une profonde inspiration pour se calmer. Et elle se remit à relater les Aventures d'Anne Marronnier.

— C'est arrivé tellement lentement, insidieusement, tu sais…, quand on s'est finalement avoué que ma mère était folle, on a été assez surpris ! Ç'a pris environ deux ans pour qu'elle vire complètement sur le top. Je veux dire, après deux ans, on s'est aperçu que c'était plus juste des petits caprices ou des manies bizarres, son affaire, mais carrément une maladie mentale. Non seulement elle ne voulait plus conduire, mais elle ne voulait même plus entrer dans une auto. Elle avait peur de l'autobus, du métro. Elle avait peur des foules. Elle pouvait même plus se rendre au dépanneur du coin sans que je l'accompagne. Elle a pris un congé de maladie – elle était professeure d'arts plastiques, c'est pas pour rien qu'elle tire en sculpture –, mais le congé s'étirait, s'éternisait... Elle a été obligée de démissionner, elle pouvait plus travailler du tout, elle avait peur de ses élèves.

Fanie ôta ses lunettes et se mit à les essuyer soigneusement avec un mouchoir de papier. Benoit l'étudiait subrepticement. Les yeux de Fanie ne semblaient pas convenir à son type de visage, comme un mauvais morceau de casse-tête qu'on force en place, mais pris séparément, ils étaient très beaux. C'était également vrai pour le reste de ses traits et de son corps – beaucoup de jolis éléments qui n'allaient pas nécessairement ensemble.

— Je me suis renseignée, tu sais, fit-elle. Je suis allée à la bibliothèque, j'ai fouillé dans des bouquins de psychologie, de psychiatrie, de psychanalyse, alouette. J'ai lu pas mal de niaiseries. Si tu veux mon avis, un gros pourcentage de ces théories-là, c'est de la bouillie pour les chats. La preuve, c'est que si tu mets deux psychiatres dans la même pièce, ils sont jamais capables de s'entendre.

— Comme les économistes, remarqua Benoit. Ils se donnent des grands airs, mais ils savent pas plus que toi et moi ce qui se passe. Mon père appelle ça les sciences Mickey Mouse.

— Il a pas tort, dit Fanie en souriant. Reste que des gens qui ont l'air cinglés, qui se conduisent en débiles, qui sont fous puis que c'est vraiment pas leur faute, il y en a un paquet. Ils font pas semblant. Ma mère fait pas semblant. Dans tout ce que j'ai lu, il y avait aussi des affaires moins nounounes. Je pense que ma mère a eu une crise de panique, une fois..., dans l'auto, dans un centre commercial, dans la rue, en tout cas, quelque part où elle ne pouvait pas demander l'aide des gens qu'elle connaissait. Une vraie crise, une qui donne l'impression qu'on est en train de mourir, qu'on étouffe, qu'on se noie. Une panique comme ça, ça peut se déclencher n'importe où, n'importe quand, et personne sait pourquoi. Est-ce que tu as déjà été super nerveux, tellement stressé que tu voulais en chier dans tes culottes, physiquement ?

Benoit répondit promptement, sans avoir besoin de réfléchir.

— Oui. Des fois, avant un show, j'ai mal au ventre et j'ai le goût de vomir.

— Bon. Alors imagine ça en dix fois pire, mais surtout, imagine que tu sais pas pourquoi t'es dans cet état-là. T'as pas de concert, pas de discours, pas d'examen, rien. T'as envie de mourir puis t'as aucune idée pourquoi.

Benoit hocha la tête, très troublé, et ne dit rien.

— Je pense que c'est ça qui est arrivé à ma mère. Et depuis ce temps-là, elle a tellement peur que ça lui arrive encore qu'elle veut plus prendre le risque d'aller nulle part où elle a pas la parfaite maîtrise de tout tout tout. Ça s'appelle de l'agoraphobie.

Fanie se mordit douloureusement les lèvres. De tout raconter ainsi la ramenait brutalement en arrière. Elle se souvenait de la façon dont elle avait réagi lorsqu'elle avait découvert qu'Anne souffrait sans doute d'agoraphobie. Elle avait cru à une mauvaise blague. Pour une personne en bonne santé mentale, les accès de panique incontrôlée de l'agoraphobe sont très difficiles à concevoir, à comprendre, à croire. Ça ressemble trop à un caprice, à une crise d'enfant contrarié. Fanie avait souvent été tentée de secouer sa mère et de lui crier de ne pas faire le bébé. Même aujourd'hui, il lui arrivait parfois d'avoir à se rappeler, par un effort conscient, qu'Anne ne pouvait pas volontairement empêcher ses paniques, pas plus qu'un enrhumé peut décider d'arrêter d'éternuer. Anne Marronnier était véritablement, authentiquement, malade.

— Et maintenant, elle va de sa chambre à son atelier, à la cuisine, au Puits et elle retourne à sa chambre. C'est tout.

— Pardon ? Au puits ? Vous avez un puits dans la maison ?

Une expression énigmatique couvrit le visage de Fanie et ses yeux se remplirent de larmes. Mais elle ne pleura pas. Elle se leva.

— Viens, dit-elle.

Et il la suivit.

Il la suivit au sous-sol, jusqu'à la porte noire. Fanie s'arrêta, puis elle s'effaça poliment, pour le laisser passer.

— C'est ici. Ouvre, le pria-t-elle en s'inclinant.

Benoit hésita. Il ne savait pas ce qui l'attendait de l'autre côté de la porte, mais il appréhendait quelque chose de particulièrement tordu. Rien ne semblait vraiment normal, dans cette maison. Que

Fanie soit aussi équilibrée qu'elle en avait l'air ne manquait d'ailleurs pas de l'étonner. À sa place, se disait-il, il se serait transformé en dément dégoulinant en moins de quelques semaines.

Il fit jouer la poignée, poussa la porte. Pendant quelques secondes, il ne vit rien : la pièce était trop sombre. Avec précaution, il fit glisser sa main le long du mur intérieur, trouva l'interrupteur et l'actionna. Cela ne produisit qu'un mince clic décevant, sans autre résultat tangible.

— Il n'y a pas de lumière, dit Fanie. Ma mère tient pas à voir ce qu'il y a ici. Attends un peu, tes yeux vont s'habituer.

Lentement, des formes se précisèrent, mouvantes, pulsantes, comme les vers et les serpents qui peuplent les mauvais rêves. Benoit put voir que la pièce contenait une multitude d'objets sombres et trapus, hérissés d'antennes et de pattes. Des choses avec des yeux et des ailes.

Il reconnut tout à coup ce qu'il ne voyait pas encore tout à fait et émit un grognement de dégoût.

— Fuck, c'est des mouches ! s'écria-t-il, dérouté.

— C'est le Puits, dit Fanie.

Involontairement, Benoit fit un pas en arrière.

— Merde, il y en a partout, c'est ben dégueu !

— Tu trouves ? fit Fanie, surprise.

Elle resta songeuse un instant, pendant que Benoit se cherchait une excuse plausible pour quitter cet endroit.

— Hmm, ouais, admit Fanie, t'as peut-être raison, au fond. Moi, ça fait tellement longtemps que je les connais, les mouches de ma mère. Elles me dérangent plus. Je les trouve même, euh… pas vraiment *belles,* tu sais, mais… intéressantes. Elles sont très bien faites, regarde.

Elle se pencha, attrapa un des insectes et le présenta à Benoit. L'adolescent réprima sa révulsion naturelle – il n'avait jamais aimé les bibittes – et examina la mouche sommairement.

— Chaque mouche représente une peur de ma mère, racontait Fanie. Elle va dans son atelier, elle prend ses outils et elle se dit : « Bon, de quelle peur je vais me débarrasser aujourd'hui ? » Alors elle fait une mouche, elle descend ici, elle ouvre la porte juste assez pour que sa sculpture passe et elle la jette à bout de bras. C'est pour ça qu'elle appelle ça le Puits. C'est comme un trou sans fond où elle envoie ses terreurs.

— Est-ce que ça marche ? voulut savoir Benoit.

— Pas une miette, soupira Fanie. Ça ne donne absolument rien.

Benoit replaça la mouche par terre et laissa échapper une expiration ironique, pffff.

— En tout cas, dit-il posément, ta mère est peut-être folle, mais elle a un talent extraordinaire. C'est pas si rare que ça, remarque. Kim me disait l'autre fois que la plupart des grands artistes, des vrais artistes, ont souvent de la misère à faire face à la réalité. Alain est un peu de même. Il est moins pire depuis qu'il est au cégep, mais l'année passée, des fois, il nous faisait quasiment peur. Il était tellement embarqué dans sa musique... quand il venait de finir un solo, un super beau solo qui te remue les tripes, on n'avait même pas besoin de le regarder, on savait qu'il était en train de brailler.

Fanie referma la porte.

— Malheureusement, soupira-t-elle, ma mère, c'est plus grave que ça. Même mon père est plus capable.

Et elle lui expliqua comment Patrick Marronnier les avait abandonnées, en petit peureux poltron pusillanime qu'il était. Ce récit de déchéance paternelle révolta Benoit. Benoit justifiait la vocation de tous les conteurs du monde: c'était un spectateur qui s'identifiait instinctivement aux personnages de l'histoire racontée.

— Et maintenant, il veut divorcer, obtenir ma garde et faire interner ma mère dans un asile de fous. Il est supposé passer la semaine prochaine, avec une psychiatre.

Fanie serra les poings de rage. Benoit fut tenté de lui prendre la main, mais quelque chose l'en empêcha. Il demanda tout bas:

— Qu'est-ce que tu vas faire?

Un hurlement stridulant fit vibrer tous les murs de la maison. Benoit sursauta, bondit presque dans les bras de Fanie. Anne Marronnier avait encore vu des monstres dans la poussière et intimait à sa fille de venir la rejoindre tout de suite.

Fanie rassembla stoïquement son courage éparpillé.

— Je vais la guérir. Veux-tu toujours m'aider?

Sans un mot, malgré ses peurs, à contrecœur, Benoit fit signe que oui.

— Ça sera pas drôle tous les jours, je t'avertis. Mon père, qui a déjà été en amour avec cette femme-là, mon propre père a sacré son camp parce qu'il pouvait plus la supporter. J'ai pas d'affaire à te demander de partager ça avec moi. C'est mes problèmes. Es-tu bien sûr de ton coup?

À la vérité, le petit batteur ne savait plus vraiment s'il était prêt à s'embarquer dans une pareille galère. Mais il n'osait pas dire non.

— Oui, fit-il mollement.

Et curieusement, en voyant l'extraordinaire expression de soulagement sur le visage de Fanie, il sentit sa volonté se raffermir en lui. En s'entendant répondre oui, il sut qu'il voulait aider cette drôle de polyglotte plus que tout au monde. Inexplicable. Mais il se sentait merveilleusement bien.

— Merci, dit Fanie. Viens, je vais te présenter.

7
Delicatamente

— Énerve-toi pas si elle se met à hurler en te voyant, avertit prudemment Fanie. C'est pas contre toi qu'elle en a. C'est juste que ça fait un bon bout de temps que quelqu'un d'autre que moi ou mon père est entré dans la maison. Tu vas peut-être la surprendre un peu.

Benoit se grugeait anxieusement l'intérieur des joues. Ils se tenaient tous deux devant la porte de l'atelier, plutôt nerveux. Anne Marronnier avait cessé de crier, et plus un son n'émanait de la pièce fermée.

La porte de l'atelier était tout à fait particulière. Anne l'avait minutieusement recouverte de bouts de bois poli et de petites branches ramassées par terre parce que leur forme avait plu à l'artiste en elle, il y avait bien longtemps, avant que la frayeur la paralyse. Elle avait transformé un simple portail en un fantasmagorique labyrinthe organique, riche de textures, de reliefs et d'ombres. Benoit ne parvenait pas à trouver les mots pour décrire l'émotion que cette œuvre, une de plus, faisait naître en lui.

— C'est beau, dit-il, maudissant la pauvreté de son vocabulaire.

Fanie le fixa, réellement touchée. Son mutisme ému lui signifiait qu'elle comprenait comment il se sentait, que les mots n'avaient peut-être pas tant d'importance. Elle vivait avec les sculptures de sa mère depuis des années. Il lui arrivait de les détester pour ce qu'elles représentaient, mais elle les trouvait toujours belles.

— Maman ? appela-t-elle. Maman, ça va ? Je m'en viens, là.

Elle fit signe à Benoit d'attendre, puis elle entra dans l'atelier. Benoit s'adossa au mur, derrière la porte, et écouta.

Anne pleurait encore, écrasée en petit tas pathétique au fond de la pièce. Fanie s'approcha, lui caressa les cheveux, s'assit à ses côtés.

— Maman ? Pourquoi tu pleures ?

Anne renifla, se moucha de façon tonitruante. Elle n'osait pas affronter le regard de sa fille. Elle avait trop honte.

— Je t'ai déçue, se lamenta-t-elle d'une voix entrecoupée. Je te l'avais dit que j'étais pas capable. Je te l'avais dit. Maintenant, je vais te perdre.

Fanie déposa un baiser sur la joue mouillée de sa mère.

— Veux-tu bien arrêter de dire des niaiseries de même ! Au contraire, je trouve que t'en as fait beaucoup aujourd'hui. Moi, j'étais sûre que tu serais même pas capable de voir la porte ouverte. Je pensais surtout pas que tu mettrais le nez dehors. Pour une première journée, c'était pas mal impressionnant. Je suis fière de toi, maman.

— J'ai brisé la Reine des Fées, s'accusa Anne en se tordant les mains.

— C'est vrai. Mais elle est morte pour une bonne cause, non ? Maintenant, il va falloir que tu en fabriques une autre. Une qui va te permettre de mettre les pieds dehors pour vrai. On n'a plus grand temps, maman. Papa s'amène avec sa docteure dans quelques jours. Faut qu'on puisse lui montrer que tu peux t'en sortir toute seule. Faut pas qu'on lui laisse une seule chance. O.k., maman ?

Anne ferma les yeux si fort que les larmes giclèrent et coulèrent comme de l'eau qui s'échappe d'une éponge qu'on presse.

— Mais Fanie..., j'ai tellement eu peur, tout à l'heure. Dehors... tout avait l'air de vouloir me faire du mal. Même notre vieil érable.... moi, je m'en souvenais comme d'un vieux monsieur courbé, qui chante doucement quand il vente... mais, maintenant, il a l'air d'un géant cornu, avec des longs bras pleins de nœuds et des griffes et des sourcils froncés..., il avait l'air tellement méchant, Fanie, je pourrai pas refaire ça, je pourrai jamais...

— Maman, tais-toi, admonesta l'adolescente. Tout va bien aller. On n'a pas le choix, comprends-tu ? Tu vas pouvoir retourner dehors, parce qu'au fond, t'es une femme courageuse. Tu l'as toujours été. T'as juste oublié, là. Et puis, t'es pas toute seule. Je suis là… et puis, j'ai quelqu'un à te faire rencontrer.

C

Benoit entra pesamment dans l'atelier, la gorge sèche, un sourire gauche sur les lèvres. Ce qu'il venait d'entendre, caché derrière la porte d'échoueries, l'avait complètement tourneboulé. Il venait de mettre le doigt dans l'engrenage d'une machine déréglée, emballée, effrayante. Peut-être le regrettait-il.

L'atelier avait l'air du laboratoire d'un généticien fou. Des dizaines de sculptures à demi terminées jonchaient le sol et le grand établi, au milieu de la pièce. Des demi-mouches, des quarts de dragons, une queue de rat, une patte de chat, une tête humaine, un œil solitaire. L'effet était grotesque, hypnotisant, hallucinant. La pièce avait des allures de cauchemar, mais on ne pouvait s'empêcher de voir que les sculptures, une fois terminées, seraient toutes exceptionnelles.

En l'apercevant, Anne Marronnier se recroquevilla un peu plus dans son coin, mais elle ne prit pas panique, au profond soulagement du jeune homme. Fanie se leva, invita Benoit à s'approcher.

— Maman, je te présente Benoit, dit-elle. C'est un… un…

Elle s'interrompit, incertaine, délibéra, puis haussa les épaules.

— C'est un ami, il va à La Passerelle, lui aussi.

Benoit s'éclaircit la gorge, eut l'idée de tendre la main et se retint juste à temps. Sans savoir exactement pourquoi, il se doutait que cette pauvre femme détestait les contacts physiques avec des étrangers.

— Bonjour, croassa-t-il en se tortillant.

Anne releva lentement la tête. Elle avait l'air horriblement gênée.

— Bonjour, fit-elle.

— Benoit va m'aider à te guérir, maman, continua Fanie. Je peux pas tout faire toute seule.

Benoit eut un petit rire nerveux.

— Je vais faire mon possible, madame Marronnier, déclara-t-il maladroitement. C'est Fanie qui commande, mais si vous avez besoin de quoi que ce soit, euh, ben... venez me voir... Je...

Il s'arrêta, confus. Il se sentait parfaitement ridicule. Sa mère ne lui avait jamais appris ce qu'on doit dire quand on propose à quelqu'un de l'aider à guérir sa maladie mentale. La scène avait quelque chose de tout à fait surréaliste – dans la vraie vie, ça n'aurait pas dû se passer comme ça. La fuite du père de Fanie avait tout fait chavirer, avait transformé la vie de la jeune fille en roman onirique.

À sa grande surprise, Anne lui sourit avec gentillesse.

— Merci, Benoit.

Fanie applaudit joyeusement.

— Ah ! jubila-t-elle. Je le savais que tu l'aimerais ! Tu vas voir, maman, tout va s'arranger. Benoit, est-ce que tu veux souper ici ? J'ai des poitrines de poulet dans le frigidaire, je peux les faire cuire avec du fromage de chèvre, c'est super bon, ça, hein, maman ?

— Oui, ma chouette. C'est délicieux.

Avant d'avoir pu se retenir, Benoit avait fait la grimace.

— Quoi, t'aimes pas le fromage de chèvre ? demanda Fanie.

Écarlate, l'adolescent fut bien obligé d'avouer qu'il n'y avait jamais goûté.

— Mais d'après moi, j'aimerai pas vraiment ça, non, ajouta-t-il, un peu sur la défensive.

— Pff ! C'est parce que t'as jamais essayé mes poitrines de poulet ! riposta Fanie, amusée. Envoye, reste donc, si t'es pas pissou ! Si t'aimes pas ça pour vrai, je te paie le MacDo ! O.k.?

Benoit se passa la main dans les cheveux, indécis.

— Ben… o.k…, mais va falloir que j'appelle mes parents…

Anne Marronnier se releva en grognant, les articulations ankylosées. Elle s'examina rapidement puis, apparemment satisfaite, elle s'adressa à Benoit, sans s'approcher de lui.

— Je suis contente que tu sois l'ami de Fanie, Benoit. Tu as l'air gentil. Va appeler tes parents. C'est pas bon que des parents s'inquiètent. Ça leur fait peur. Je voudrais pas que tes parents aient peur à cause de moi.

Le jeune batteur sourit, tout remué à l'intérieur. Pourquoi ne le craignait-elle pas ? Fanie lui avait dit que les étrangers la rendaient tout à fait incohérente de terreur, qu'ils l'envoyaient sans exception se cacher en hurlant sous son lit. Pourquoi était-elle si calme avec lui ?

À la vérité, il n'y avait pas de raison précise. Anne n'aurait certainement pas pu expliquer ce qu'elle voyait en Benoit qui la rassurait tant, comme une couverture chaude et protectrice. Elle ressentait le même bien-être en regardant sa fille. Benoit et Fanie se ressemblaient à ses yeux, ils étaient des âmes sœurs, et c'était tout. Elle voyait bien que Benoit ne le savait pas encore vraiment lui-même, mais il finirait bien par se connaître également.

— Moi aussi, je suis content d'être l'ami de Fanie, madame Marronnier. Je pense qu'on va bien s'entendre, tous les trois.

— Bon, fit Fanie. Tu te dépêches, Benoit ? Après, tu serais gentil de m'aider à faire la bouffe.

— Ah, c'est toi qui cuisines toute seule ? Ta mère t'aide pas ?

La température de la pièce tomba soudain de vingt degrés. Anne le regardait fixement, l'air choquée, et Fanie roulait des yeux exaspérés. Benoit se sentit faible, rougit, voulut mourir.

— Non, Benoit, énonça gravement Fanie. Elle pourrait se salir. C'est moi qui m'occupe des repas, ici. Tu comprends ?

Benoit opina, la gorge nouée, incapable de prononcer un mot. Merde. Merde merde merde.

Puis il suivit Fanie à la cuisine.

Benoit fut surpris de constater qu'il trouvait le fromage de chèvre délicieux. Il s'était rendu aussi utile qu'il en était capable. Il n'était pas très à l'aise dans une cuisine. Chez lui, ses parents s'occupaient de tout. Il ne faisait ni ses repas, ni son lavage, ni même le ménage de sa chambre. En admirant la dextérité et l'assurance de Fanie, il se sentit un peu honteux. Il avait quinze ans, tout de même, et il ne savait pas faire la moitié des choses que cette étonnante jeune fille considérait comme l'enfance de l'art. C'était plutôt gênant. Pendant qu'ils s'activaient, Fanie avait commencé, pour rire, à lui donner quelques notions de base de japonais. Elle lui avait appris quelques formules de politesse et l'ordre habituel des mots dans la phrase (thème-complément-sujet si nécessaire-verbe), et elle lui avait présenté une mini-conférence sur les fameux kanji, les caractères empruntés au chinois utilisés dans l'écriture du japonais.

Profitant d'un moment de silence, Benoit interjecta soudain :

— Je m'excuse pour tout à l'heure.

— Hein ? Pour quoi ?

— Quand j'ai demandé si ta mère faisait la cuisine. J'aurais pas dû.

— Fais pas ton tèteux, Benoit, répliqua Fanie avec indulgence. Comment t'aurais pu le savoir ? C'est pas ta faute, c'est la première fois que tu la rencontres, tu peux pas connaître toutes ses petites manies. Inquiète-toi pas, ça va te venir bien assez vite, si tu décides vraiment de continuer à nous… à nous fréquenter.

Avec un cure-dents, elle piqua lestement une des pièces de poulet, emprisonnant le fromage dans un rouleau de chair rosée.

— C'est moi qui devrais m'excuser, tu sais, poursuivit-elle. J'aurais pas dû t'empaler avec mes gros yeux de tueuse. Tu pouvais pas savoir, c'est tout.

Ils popotèrent un instant, songeurs. Benoit mâchait un morceau de fromage.

— Je veux continuer à vous fréquenter, Fanie.

Les deux adolescents se caressèrent longuement des yeux.

Anne Marronnier s'assit au bout de la table de la cuisine. Fanie et Benoit s'activaient autour du fourneau. Fanie avait délégué à son ami la tâche délicate de servir les patates pilées et les petits pois, pendant qu'elle glaçait les chaussons aux pommes.

Tout à coup, Anne dit, d'une voix dangereusement neutre :

— Fanie ? Est-ce que je vais être obligée de voir la docteure de Patrick ?

Benoit se figea, la cuiller pleine de tubercules écrasés flottant au-dessus des assiettes. Fanie lui lança un regard d'avertissement qui signifiait clairement : « Ne dis rien. »

— Je sais pas, maman, répondit-elle, impassible. Ça va dépendre.

— De quoi ?

— De papa, de toi, de moi. Ça sera peut-être pas nécessaire de parler à la docteure. Je m'occupe de tout, inquiète-toi pas.

Fanie articula les mots « ça va, je t'expliquerai » en direction de Benoit, qui n'avait pas la moindre idée du plan qui s'était formé depuis quelques jours dans l'esprit vif de la jeune fille.

— Ah, dit Anne.

Une pause, puis :

— Fanie ? Qu'est-ce qu'on fait si Patrick essaie de t'emmener avec lui ?

— Ça, il pourra pas, maman, fais-moi confiance, affirma Fanie sans hésitation. Je sais comment contrôler mon père. S'il essaie quelque chose comme ça, je vais le retourner assez vite que ses oreilles vont siffler.

— Ah.

Anne se cala au fond de sa chaise avec un mmmh de soulagement. Fanie s'occupait de tout. Et maintenant qu'elle avait un copain, elle ne se sentirait plus aussi seule, avec une mère folle. Anne n'était pas jalouse de Benoit, elle n'avait pas l'impression qu'il allait lui voler sa fille. Elle connaissait bien Fanie, elle connaissait sa loyauté. Fanie s'occupait de tout.

Sans Fanie, elle mourrait.

Benoit, respirant un peu mieux, prit les assiettes et alla les déposer à leur place respective.

Anne jeta un bref coup d'œil à son assiette et la repoussa sèchement, étouffant un haut-le-cœur.

— Ça se touche, grinça-t-elle, la voix tremblotante.

— Pardon? fit Benoit.

— Les petits pois, les patates, la viande se touchent, siffla Anne en haletant. Ça se touche!

Fanie apparut presque magiquement aux côtés de sa mère, l'assiette offensante dans les mains. Benoit patinait, perdu, comme un chiot courant après sa queue.

— Voulez-vous mon assiette? bredouilla-t-il. Elle a l'air moins pire.

Anne frémit comme s'il lui avait offert de la chair humaine. Elle était pâle, elle semblait sur le point de vomir.

— C'est correct, maman, pogne pas les quételles, dit Fanie tout doucement. Benoit savait pas, c'est pas sa faute. C'est correct, là, c'est correct.

Devant un Benoit éberlué, médusé, elle entreprit de vider méthodiquement l'assiette, replaçant chaque aliment dans son chaudron, pour ensuite la laver consciencieusement avec de l'eau chaude et du savon, et enfin l'essuyer avec un linge propre. Alors seulement reprit-elle la louche et la cuiller pour la remplir, en prenant un soin maladif à placer chaque denrée assez loin de sa voisine pour que rien n'entre en contact avec rien. Au fur et à mesure que cet ahurissant manège se déroulait, Anne Marronnier se calmait visiblement, et elle put manger sans plus de problèmes lorsque l'assiette fut redéposée devant elle.

— Merci, Fanie, dit-elle, encore pâle.

Puis, s'adressant à Benoit:

— Je t'en veux pas, tu sais. Tu pouvais pas savoir.

Benoit cligna des yeux, bouleversé. Il n'arrivait pas à se défaire de l'impression qu'il venait de recevoir un autobus entre les deux yeux.

— Je… je m'excuse, bafouilla-t-il. Je vais faire attention, à partir de maintenant.

Fanie les observait tous les deux, et Benoit put voir qu'elle retenait encore péniblement ses larmes. Il aurait voulu la serrer contre lui.

Dans le vestibule, l'Ange Vert planait au bout de ses fils de métal.

8
Intermezzo

— Comment ça, faut que tu partes dans une heure ? s'exclama Dave.

Les six membres de Push-Poussez préparaient leur matériel pour la répétition du vendredi soir, et la remarque d'Alain, qui s'était voulue désinvolte, avait choqué ses amis.

— Jeez, man, reprit le bassiste, tu le sais qu'on a besoin de toutes nos pratiques, merde. On a deux shows qui s'en viennent.

— Puis j'ai pas besoin de te rappeler qu'on a promis d'aller jouer à la villa Roche de St-Cœur, ajouta Jessica.

— Et qu'on va peut-être être payés pour ce spectacle-là, dit Serge. Ç'a l'air qu'ils vont passer le chapeau.

— Faut que tu retournes pratiquer à Vincent-d'Indy, Alain ? demanda Kim tristement. Encore ?

Alain brancha sa guitare, gratta quelques accords. Il avait l'air mal à l'aise, il avait chaud. Il commença à dire quelque chose, se ravisa.

— Ben oui, bon, s'écria-t-il soudain, sur un air de défi. Faut que je pratique mes tounes d'école, j'ai pas le choix, j'ai des examens, merde! Je peux pas passer tout mon temps à jouer dans un band de secondaire!

Les mots avaient à peine franchi ses lèvres qu'il s'en repentait déjà amèrement. Mais bon sang, ce n'était pas faux! Il était au cégep, maintenant. Il travaillait fort, soit, mais enfin, enfin, ses efforts avaient vraiment l'air de donner quelque chose. Pendant tout son secondaire, il avait bûché, bûché, bûché, sans le moindre résultat. Il n'avait réussi qu'à couler sa cinquième secondaire. Alors qu'à présent, il étudiait une matière pour laquelle il avait une véritable affinité naturelle. Il travaillait, il aimait ça, et il avait de bonnes notes. D'excellentes notes, même. C'était si nouveau, si exaltant, ça lui faisait l'effet d'une drogue. Dans les classes de Vincent-d'Indy, avec les sœurs enseignantes, avec tous ces nouveaux visages tout aussi fous de musique que lui, il se sentait chez lui. Il se sentait complet. Il aimait l'endroit, avec son majestueux hall d'entrée tout de bois verni, comme une église, ses corridors jalonnés de bustes de compositeurs célèbres, ses cubicules de répétition où l'on pouvait se rencontrer à trois ou quatre pour rigoler un peu. À trois ou quatre, ou encore à deux.

Alain se sentait un peu coupable et ça le rendait agressif.

Ses amis le dévisageaient, outrés.

— Fuck, just who do you think you are[9]? cracha Jessica, insultée. T'es pas le seul à avoir des

9. Pour qui tu te prends, bon sang?

examens, Alain Lafont. Nous autres aussi, on est au cégep. J'ai trois projets à remettre dans deux semaines, moi. Mais je viens pratiquer parce que c'est important!

— Fâche-toi pas, Jess, dit Dave, apaisant. Ça aide jamais.

Alain prit une longue inspiration embarrassée.

— Je m'excuse, je sais pas pourquoi j'ai dit ça. C'était méchant.

Benoit s'assit derrière sa batterie, l'air pensif.

— Et puis, on était supposés aller voir un film chez Jess, fit-il, déçu. *Spirited Away.* Même Fanie va venir. Ça fait longtemps qu'on n'a pas fait ça, t'es tellement occupé.

— Tu peux pas laisser faire Vincent-d'Indy juste un soir, man? demanda Dave. On s'ennuie de toi, toute la gang. Viens donc te bourrer de pizza avec nous autres, oublie tes examens pour une couple d'heures, ça va te faire du bien.

Le visage d'Alain s'assombrit encore un peu. Il sentait les cinq volontés de ses amis faire pression sur son cœur. Il ne tenait pas à les décevoir, mais il ne voulait pas les laisser diriger sa vie.

Kim prit la main de son amour, la caressa tendrement.

— On est Push-Poussez, non? murmura-t-elle. Toute la gang ensemble, comme une famille. C'est toi qui le disais, Alain. Tu t'en souviens?

Alain se renfrogna encore plus.

— Ça, c'était l'année passée, maugréa-t-il. Les choses changent, Kim.

La voix de Kim grimpa soudain d'une octave.

— Mais moi, je veux pas ! vagit-elle, désemparée. Je veux pas que les choses changent, moi, maudit ! Je veux que tout reste pareil, tout le temps !

Elle repoussa la main d'Alain et s'échappa en courant de la pièce. On entendit ses pas résonner dans le long corridor central de l'entrepôt où Push-Poussez répétait.

— Ah, shit, Alain, le tança Benoit.

— Quoi, « ah, shit, Alain » ? répliqua le guitariste, piqué. C'est ma faute, encore, si… Merde, qu'est-ce que vous avez tous, à soir ?

La voix de Jessica claqua soudain, sèche, autoritaire.

— Alain !

Sans réfléchir, Alain se retourna.

— Qu'est-ce que tu fais, là ? continua-t-elle, raide comme une institutrice.

— Hein ? Ben, je…

— Va la rejoindre !

Alain n'avait pas vraiment le choix.

C

Kim s'était réfugiée au fond du corridor, là où un des calorifères surchauffait de façon chronique. Les soirs d'hiver, la bande de Push-Poussez aimait bien aller y prendre une collation, entassés à se faire griller les fesses. Benoit blaguait même qu'on arriverait sûrement à faire cuire des œufs au bacon sur le métal brûlant.

Assise par terre, la tête sur les genoux, Kim pleurait.

Alain ne savait pas par quoi commencer. La jeune fille n'avait même pas relevé la tête en l'entendant arriver. Elle semblait l'ignorer délibérément.

— Kim..., dit-il, pataud, en s'assoyant près d'elle. Kim, je m'excuse. Je voulais pas te faire pleurer. Tu le sais comment ça me met à l'envers quand tu pleures.

Pendant d'interminables minutes, seul le vent contre la fenêtre vint troubler le silence dans la grande bâtisse. Puis Kim s'essuya les yeux et chuchota, accusatrice :

— Toi, tu pleures plus.

— 'Scuse-moi ? fit Alain, pensant avoir mal entendu.

— Tu pleures plus jamais, répéta Kim, morose.

Alain était tout à fait décontenancé.

— Hein ? Je vois pas où tu veux en venir.

— Avant, quand t'étais ému, tu pleurais. Maintenant, tu pleures plus.

— Pis, ça ? rouspéta-t-il, dérouté par la tournure que prenait la conversation. J'ai peut-être juste pas de raison de pleurer, c'est tout.

— Quand tu jouais quelque chose de beau, quand tu faisais pleurer ta guitare, tu pleurais aussi.

— La musique, ça me pogne aux tripes, Kim, tu le sais.

Kim eut un petit rire de dérision.

— Ça fait des mois que t'as pas versé une larme en faisant de la musique, Alain.

Alain pinça les narines.

— Ah ? fit-il, d'un ton cavalier. J'avais pas remarqué. T'es sûre ?

— Oui. Moi, j'ai remarqué, dit Kim. Avant, quand tu partais en solo, on avait de la misère à te suivre. Pas parce que c'était trop difficile, pas parce que tu joues tellement mieux que nous. Techniquement, on commence à accoter pas mal n'importe qui, même toi. Non, c'était dur de te suivre parce que ta musique était trop élevée pour nous. Trop inspirée, comprends-tu ? Ça virait dans des directions tellement surprenantes, on capotait à se demander où tu nous emmenais. Tu regardais juste en avant, je pense que tu nous oubliais un peu, mais quand on arrivait, c'était toujours quelque part de beau, de bien plus beau que ce qu'on aurait été capables de découvrir seuls, sans toi pour nous guider. C'était pas facile de courir en arrière de toi, Alain. Tu nous as fait rusher souvent. Mais maudit que ça valait la peine. Tu jouais les dernières notes et tu nous regardais, l'air de revenir du paradis, les yeux pleins d'eau. Puis nous autres, on avait l'impression d'avoir participé à quelque chose d'extraordinaire. On se trouvait chanceux de t'avoir, toute la gang.

Elle s'arrêta pour reprendre son souffle. Alain ne dit rien. Tous ces merveilleux compliments lui étaient servis sur un tel ton de reproche qu'il ne savait pas s'il devait l'embrasser ou s'insurger.

— Je me rappelle une fois, reprit Kim, songeuse, on venait de jouer *Le chant de la planète.* Dave s'est écrasé sur sa chaise et il m'a dit : « Tu sais,

Kim, ton chum est un véritable artiste. Il nous fait vivre des affaires fantastiques. On devrait le remercier. »

— Pourquoi tu me racontes ça, Kim ? s'enquit Alain, mal à l'aise.

— Parce que je t'aime.

Elle l'aimait tant, mais c'était maintenant si compliqué.

— Moi, je trouvais ça merveilleux que la musique te fasse pleurer. C'était un des aspects les plus beaux de ta personnalité. T'étais comme un personnage de roman. T'étais fou, passionné. Trop, des fois, mais ça me faisait juste t'aimer encore plus. T'étais un trippeux. T'étais mon trippeux.

— Dis pas ça comme ça, protesta faiblement le jeune homme. Je le suis encore.

— C'est pas vrai ! rugit-elle avec une rage soudaine. C'est pas vrai, Alain Lafont ! T'es plus pareil. T'as changé. Tu t'es comme endormi. Refroidi. Ta musique a changé. Elle est encore belle, mais on peut t'entendre penser toutes les notes. Tu te laisses plus aller.

— Arrête, Kim, rétorqua Alain, blessé. Tu dis n'importe quoi. Je joue de mieux en mieux. J'en apprends tous les jours, je suis bien meilleur que l'année passée, merde !

Kim haussa les épaules. Elle se remit à pleurer.

— Peut-être, mais nous, on n'a plus du tout l'impression que tu nous tires vers les étoiles. Push-Poussez a perdu son âme. T'as raison, on est juste un petit band de secondaire. Mais c'est ta faute. Parce que tu nous as laissé tomber.

— Mais c'est pas vrai, bon sang! fit Alain, déchiré. Je suis là, non? J'ai juste une pratique à soir, c'est tout, c'est pas la fin du monde, me semble! Vous pouvez vous débrouiller sans moi pendant une couple d'heures, vous êtes bien assez bons!

— Si tu penses vraiment ce que tu dis, articula Kim en sanglotant, c'est que t'as rien compris.

Elle se tut, reniflante. Alain, à contrecœur, parce qu'il sentait que c'était la chose à faire, l'attira contre lui et caressa ses cheveux, essuya ses yeux rougis. C'était vrai, il comprenait mal l'émotion de son amie. Avait-il vraiment changé comme elle le prétendait? Il n'aurait pu le dire. Il n'était plus aussi instable, d'accord, ce n'était pas faux. Mais était-ce si mal? Au cégep, on ne peut pas perdre les pédales pour un rien, il faut savoir se contrôler. Il n'avait pas à être une caricature d'artiste, avec ses élans de fougue et de passion exagérés, simplement pour faire plaisir à Kim et à Push-Poussez. Il n'avait pas à accepter la responsabilité d'âme du groupe. Il vieillissait, il avait autre chose à faire, d'autres gens à rencontrer. Il bouillait de rancœur. Ce n'était pas juste, ce n'était pas correct de la part de Kim de lui reprocher d'aimer ses études. Et l'accuser de ne plus jouer aussi bien, c'était carrément vicieux.

— Alain?

— Oui?

Son ton était dur. Il ne voulait pas la blesser davantage, mais il était fâché, il ne pouvait s'en empêcher. Kim ne broncha pas; elle dit, la voix rauque d'avoir trop pleuré:

— Est-ce que t'as vraiment une pratique ce soir ? Dis-moi la vérité, s'il te plaît.

Alain se raidit. Pendant une seconde, il fut tenté de s'emporter. Puis il regarda Kim et se souvint à quel point il avait été amoureux de sa Muse. Elle était encore tellement belle, malgré ses yeux mouillés et son nez irrité par les papiers-mouchoirs. Son maquillage n'avait pas tenu, il avait coulé en rubans noirs sur ses joues. Ses lèvres tremblotaient, elle était pâle. Elle était belle, et intelligente et sensible. Et elle l'aimait.

— Non, avoua-t-il en baissant les yeux, honteux. Non, on est supposés se rencontrer au Peel Pub, une petite gang, pour écouter Bowser and Blue.

Kim hocha amèrement la tête d'un air entendu et ses larmes reprirent de plus belle.

— Je voulais pas vous le dire, continua Alain, tant bien que mal. C'est juste que j'ai promis d'y aller, Kim, j'avais oublié la pratique de ce soir, comprends-tu ? J'avais oublié, c'est niaiseux de ma part, mais c'est ça. Je peux pas ne pas y aller. J'ai promis.

— À qui ? demanda-t-elle en se serrant possessivement contre lui.

Elle ne le dit pas, mais le nom qui soufflait dans sa tête était Miriam.

— À la gang.

— Je pensais que c'était nous autres, ta gang, répliqua Kim spontanément.

Alain grogna, embrassa ses cheveux et ses joues.

— Come on, Kim. On peut avoir plus qu'une gang dans la vie.

Kim essuya de nouveau ses yeux.

— Moi, j'aimerais juste pouvoir revenir dans le temps, dit-elle. Je veux retrouver l'autre Alain. Mon Alain qui pleurait. Je voudrais juste que tout redevienne comme avant, comme l'année passée, ou cet été. Je pensais que l'été finirait jamais, tu sais. J'étais tellement heureuse, je pensais que ça durerait toujours.

— Tu parles comme si tout était fini, dit Alain sans conviction. C'est pas vrai. Je t'aime, Kim.

Kim enfonça son visage dans la longue chevelure de son amour, le serra à l'étouffer. Elle avait l'impression que tout était fini, en effet. Il ne restait plus qu'à le dire. Elle se trouvait faible.

— *Moi,* je t'aime, Alain. Dis-le pas si t'es pas absolument certain de le penser.

Alain se tint coi, et Kim pleura encore longtemps dans ses bras.

C

À l'autre bout du corridor, pressés dans l'embrasure du local de répétition, les quatre autres membres de Push-Poussez observaient le guitariste et la chanteuse, avec désenchantement.

— Ça fait mal de voir ça, dit Serge.

Comme une procession funéraire, ils rentrèrent dans la salle et s'affalèrent avec lassitude, par terre, sur un banc, sur un rebord de fenêtre.

— Moi, je comprends rien, râla Benoit. Qu'est-ce qui lui est arrivé, à Alain ? Il est ben rendu plate !

— I don't know, fit Dave. Tout ce que je sais, c'est que Kim a toujours de la peine, maintenant. Il a pas vraiment l'air de faire exprès, mais… aw, shit, the whole thing sucks[10].

Jessica croisa les bras, les doigts pianotants, et haussa les sourcils. Haussa un sourcil, en fait : la peau de sa tache de vin était plutôt rigide et ne se prêtait pas très bien aux mimiques complexes. Quand elle parlait, la moitié violacée de son visage demeurait à peu près immobile. C'était tout à fait déconcertant. Dave, qui avait eu le temps de s'y habituer, trouvait que ça donnait un cachet certain à sa copine. Il la trouvait belle et ne se lassait pas de le lui répéter.

— Vous êtes pas mal naïfs, je trouve, laissa-t-elle tomber avec dépit. C'est plate à dire, mais j'ai bien l'impression que ce qui a transformé Alain, c'est une histoire de fille. Il a juste pas eu les couilles de l'avouer, il doit être un petit peu trop attaché à Kim, il est pas sûr de son coup.

— Do you really think so[11] ? dit Dave, dubitatif. C'est pourtant pas son genre, me semble. Pas Alain.

— Ça expliquerait beaucoup de choses, remarquez, intervint Serge.

Dave ramassa sa *bass* d'un geste las.

---

10. Ah, merde, tu parles d'une histoire pourrie.
11. Tu penses vraiment ça ?

— No, I can't believe he'd do something like that[12], soutint-il fermement.

— Moi, ce qui me fait chier, dit Serge, c'est que le groupe est moins bon qu'avant. Je suis pas sûr que le public peut le remarquer… C'est subtil, c'est indéfinissable, mais il nous manque quelque chose, maintenant… Puis il me semble… que c'est Alain qui a changé.

— That's just my point, reprit Dave. D'après moi, c'est plus profond. Alain a l'air d'avoir perdu quelque chose de très précieux. Ça le rend malheureux. Puis il a pas l'air de savoir ce qu'il a perdu, et ça le rend encore plus malheureux.

— Tout le monde finit par perdre quelque chose de précieux, dit tout à coup Benoit, mystérieux.

Saisis, les trois autres se retournèrent vers lui, comme un seul homme. Ce n'était tellement pas le genre de commentaires que Benoit faisait habituellement… Le petit batteur eut l'air gêné. Il pensait à Kim, et à Alain, et à leur relation qui ne marchait plus et au groupe qui battait de l'aile. Il pensait aussi à Fanie et à sa mère. Il se demandait s'il était vraiment capable de les aider à retrouver ce qu'elles avaient perdu.

— C'est vrai, ajouta-t-il pensivement. L'idée, c'est de pas devenir amer.

Changeant de sujet, il s'adressa timidement à Jessica.

— Jess, est-ce que je peux te parler en privé? J'ai un service à te demander.

---

12. Je peux pas croire qu'il ferait une chose pareille.

TROISIÈME MOUVEMENT

9
Con anima

Jessica ouvrit fébrilement son portable, le plaça sur les genoux de sa grand-mère et lança le diaporama qu'elle avait préparé. Lorina Liddell, minuscule et l'air si frêle au fond de sa chaise orthopédique, empoigna l'ordinateur dans ses mains ravagées, pour l'empêcher de trembler, et examina les photos, une par une, attentivement.

Ils étaient quatre dans le petit salon adjacent au magasin d'antiquités Lorina Liddell : la vieille propriétaire, britannique et théâtrale, Jessica, fière et sûre de son instinct artistique, ainsi que Benoit et Fanie, qui attendaient anxieusement, sagement assis sur le sofa, que le verdict tombe. Dave montait la garde dans la boutique, en raison de la possibilité – bien théorique – qu'un client entre et, qui sait, peut-être même achète quelque chose. Ce n'était pas impensable, c'était même arrivé une fois, le mois dernier.

Ç'avait été l'idée de Benoit. Après avoir fait, pendant deux jours, exactement ce que Fanie lui disait – prends telle cuiller, apporte telle assiette, lis tel journal –, après avoir tenté deux fois d'amener Anne Marronnier faire une promenade dans la cour, après lui avoir brossé doucement les cheveux pendant que Fanie lui chantait une berceuse pour la calmer, Benoit avait décidé de faire quelque chose de plus. Patrick Marronnier devait passer avec sa psychiatre à la fin de la semaine, il avait téléphoné pour s'annoncer, et Anne n'avait toujours pas accompli de progrès notables. Il lui fallait un grand projet, quelque chose de grandiose, pour enflammer son imagination d'artiste.

Benoit voulait tellement se rendre utile auprès de Fanie et de sa mère. Il tenait absolument à prouver à son amie qu'il pouvait faire preuve d'un peu d'initiative. Fanie avait été enchantée par son idée. C'était possiblement le genre de démarche pour faire sortir Anne de sa coquille – c'était loin d'être assuré, mais si ça fonctionnait, ce serait fantastique. Quand Fanie l'avait félicité avec admiration et reconnaissance, il avait cru exploser d'orgueil.

— What do you think, grandma[13]? la pressa Jessica en trépignant, incapable de s'asseoir ou de demeurer silencieuse. They're just amazing, aren't

13. Qu'est-ce que tu en penses, grand-m'man?

they ? I think they're totally fabulous. I've never seen anything like these. What do you think, hmm, what[14] ?

— Calm down, child, murmura gaillardement la vieille femme sans lever les yeux. Let me look[15].

Jessica s'efforça de rester calme, se tourna les pouces. Benoit regarda Fanie, un peu perdu. Il l'avait dit, il ne parlait qu'une langue et demie. Fanie lui souffla à l'oreille : « Je te traduirai ça plus tard, là. »

Après quelques minutes interminables pendant lesquelles chaque cliché avait été minutieusement étudié, scruté, agrandi et rapetissé, Lorina Liddell rabaissa enfin l'écran du portable et offrit à ses jeunes visiteurs un sourire fané mais encore enchanteur.

— Yes, dit-elle avec son accent délicieusement anglais. Quite remarkable. Your mother did these, young lady[16] ?

Fanie hocha la tête, tout de suite mise à l'aise par la vieille femme.

— Yes. She's been sculpting day and night for the better part of three years now. Our house is very nearly overrun by her work and[17]...

---

14. Elles sont tout simplement incroyables, non ? Je crois qu'elles sont parfaitement fabuleuses. Je n'ai jamais rien vu de pareil. Qu'est-ce que tu en penses, hein, hein ?
15. Calme-toi, fille. Laisse-moi les regarder.
16. Tout à fait remarquable. C'est votre mère qui les a faites, jeune demoiselle ?
17. Oui. Elle a passé la majeure partie des trois dernières années à sculpter jour et nuit. Ses œuvres envahissent carrément la maison et...

— Excuse me, excusez-moi, I beg you mon pardon, s'immisça Benoit en s'éclaircissant bruyamment la voix, mais est-ce que je pourrais humblement vous demander de pas oublier que je suis juste un petit twit ignorant qui a ben de la misère à vous suivre en anglais, voyez-vous, hmm ? Fanie est en train de me faire suivre un programme de perfectionnement, mais vous êtes pas chanceux, on est juste rendu à « yes no cookie I love you ».

Il se rendit compte trop tard que ce qu'il venait de dire était vraiment très équivoque. Fanie devint cramoisie, et Jessica et sa grand-mère s'ébaudirent, amusées de sa déconfiture.

— Oui, bon, hahaha, bafouilla-t-il en rougissant à son tour, c'est une façon de parler, hein, bon ! J'aimerais juste pouvoir comprendre un peu ce qui se passe, c'est tout. Après tout, c'était mon idée, cette histoire-là, faut pas l'oublier !

— Mais bien sûr, jeune homme ! répliqua Lorina Liddell en français, les yeux pétillants. « Yes no cookie I love you », voilà vraiment les bases fondamentales de la langue anglaise. Surtout « I love you », n'est-ce pas ? Si vous y tenez, nous parlerons français. Il y a bien longtemps que j'ai tenu une conversation dans votre langue, ça sera intéressant.

Benoit se redressa, interloqué. Il avait toujours cru que la grand-mère de Jessica parlait à peine français. Elle-même se plaisait à le faire croire, elle qui ne s'exprimait jamais qu'en anglais avec Jess et Dave. Et voilà qu'elle lui servait un français encore meilleur que le sien ! C'était gênant ! On ne savait jamais à quoi s'attendre, avec cette vieille dame. Dave lui avait bien raconté quelques anecdotes, d'ahurissantes aventures censément arrivées à cette grand-mère joyeusement fêlée, mais Benoit avait toujours pensé que son ami se moquait de lui.

Jessica lui décocha un clin d'œil malicieux, puis elle revint vers Lorina.

— Grand-maman, s'exclama-t-elle, ces sculptures-là sont géniales ! Tu me connais, je suis pas du genre à exagérer quand il s'agit d'art. Il faut que ça soit vraiment fameux pour retenir mon attention. Pour être honnête, quand Benoit m'a parlé des œuvres de la mère de Fanie, j'étais pas chaude chaude. Je suis allée les voir juste pour lui faire plaisir. Et j'ai bien fait ! Grand-maman, j'ai pas pu toutes les photographier, il y en a trop, mais je dirais qu'au moins 80 % sont de calibre professionnel. Il y a une chambre, tu n'en reviendrais pas, c'est une chambre pas de lumière, rien, ça fait qu'il faut que tu laisses tes yeux s'habituer à la noirceur, puis là, après une minute ou deux, tu commences à voir des formes bizarres, des espèces de masses avec des yeux et des ailes. Grand-maman, il y a à peu près cinquante mouches…

— Trente-neuf, corrigèrent presque simultanément Fanie et Benoit.

Jessica eut un mouvement d'impatience.

— Trente-neuf, whatever, continua-t-elle. Anyway, un méchant paquet de mouches en bois, en feutre, en papier et en cuivre. C'est presque apeurant, mais c'est beau, tu peux pas t'imaginer.

Ça frappe tellement. J'ai pas pris de photos de ça, ça valait pas la peine, faut vraiment le voir pour apprécier. Mind you (glissant de nouveau vers l'anglais sans même s'en apercevoir), none of those pictures do any justice to the actual pieces. You have to come and see them. You'll be blown away, I promise you[18].

Lorina plissa les yeux, l'air indulgente, rendit les photos à sa petite-fille. Elle tourna lentement la tête vers Fanie et lui sourit.

— Jessica est enthousiaste. Toutefois, elle n'a pas tort. Ces sculptures sont vraiment excellentes… Fanny, n'est-ce pas ?

Elle avait prononcé le nom à l'anglaise.

— F-a-n-i-e, oui, madame, épela poliment Fanie.

— Oh, Fanie, répéta Lorina, ravie. Comme c'est joli, écrit comme ça. Anyhow. Même si je ne les ai vues qu'en deux dimensions, il me semble clair que les sculptures de ta mère méritent d'être exposées.

— Yeah ! s'écria Benoit en serrant sans y penser la main de Fanie dans les siennes.

— I knew it ! I knew it ! fit Jessica, triomphante.

Fanie esquissa un sourire un peu gourd. C'était beaucoup en peu de temps. Elle était heureuse, sans savoir ce qui la rendait le plus joyeuse : la possibilité

---

18. Aucune des photos ne rend réellement l'effet des originaux. Il faut que tu viennes les voir. Tu n'en reviendras pas, je te le jure.

d'une exposition pour Anne ou les mains de Benoit.

— Merci, madame, dit-elle tout bas.

— Je réserve mon jugement final jusqu'à ce que j'aie pu tourner autour des pièces, continua Lorina en retenant un rire de lutin – le manège des deux adolescents ne lui avait pas échappé. Je voudrais passer un peu de temps à les observer de près – je m'intéresse particulièrement aux textures, qu'on ne voit pas bien sur ces photos –, mais je suis en présence, je crois, d'un talent exceptionnel.

Elle se tut et réfléchit en silence pendant une bonne minute. Benoit eut peur qu'elle ne se soit endormie.

— Hmm… oh, et puis zut, reprit-elle soudain. D'accord. Faisons-nous confiance, let's live a little. Du grand art, on en voit assez peu en une vie, il faut donc tout faire pour l'aider à être vu du grand public. Je vais faire ma bonne action de l'année. Nous allons monter la première exposition des œuvres d'Anne Marronnier, les enfants. Et c'est moi qui défraierai tout !

Les trois jeunes poussèrent un hurlement de joie et s'élancèrent vers la vieille femme, la couvrant de baisers et de caresses. Lorina riait, riait, presque hystérique.

— Now, now, children, gargouilla-t-elle enfin en levant faiblement les mains, settle down, don't smother me[19] !

---

19. Allons, allons, les enfants, calmez-vous, vous allez m'étouffer !

Fanie, Benoit et Jessica se calmèrent un peu, et retournèrent à leur place en piaffant.

— Jessica, tu seras responsable de l'organisation générale, poursuivit Lorina, le ton à peine plus sérieux. Trouve un local, fais-y transporter les sculptures, place de la publicité dans les journaux, engage des hôtes et des hôtesses, et donne-moi toutes les factures. Ce genre d'événement représente des dépenses considérables, j'espère que vous le réalisez. Je tiens à ce que tout soit parfait. Pas question d'une exposition de club social. Je veux un résultat professionnel. Alors, conduisez-vous en professionnels. Compris?

— Yes, grandma, fit Jessica, les yeux pétillants.

— Oui, madame, dirent Fanie et Benoit, de concert.

Jessica versa une tasse de thé fumant à sa grand-mère et la lui tendit. Après une profonde gorgée régénératrice, Lorina déclara gaiement:

— Bien! Alors, l'affaire est conclue. Une seule chose me paraît plutôt étrange. Est-ce que ta mère sait que tu es ici, Fanie? Ou fais-tu ces démarches à son insu? Si je deviens son mécène, j'aimerais bien la rencontrer, c'est tout naturel…

Les trois jeunes échangèrent un regard.

— Euh, voyez-vous, marmonna Benoit, incertain, c'est là que ça devient un peu plus compliqué…

— On ne voulait rien te dire avant d'être sûrs que tu voudrais faire l'exposition juste pour la qualité des sculptures, expliqua Jessica.

Lorina fit une grimace amusée.

— Oy vey[20], que de cachotteries ! lança-t-elle. Qu'y a-t-il, la mère de Fanie n'est pas l'auteure de ces pièces ? Vous les avez volées quelque part ?

— Non, elles sont de ma mère, pas de doute là-dessus, confirma Fanie. Seulement, ma mère est une artiste un peu spéciale…

— *Ben* spéciale, renchérit Benoit, roulant malgré lui des yeux effarés.

— Raconte, dit Lorina, invitante.

Sans complaisance, sans fausse bravoure, Fanie décrivit la maladie de sa mère et leurs tentatives de plus en plus désespérées pour la guérir. L'urgence de la situation. L'aide et l'amitié inestimables de Benoit. La traîtrise, la lâcheté et les plans de son père. Ses espoirs que l'exposition pourrait avoir un effet positif – thérapeutique. Son amour pour sa mère. Sa fatigue aussi.

Benoit avait déjà entendu tout ce récit, il en avait même vécu une partie depuis quelques jours, mais il fut ému malgré tout. Il admirait son amie.

Jessica n'en connaissait que les grandes lignes, et d'apprendre tout le reste l'ébranla durement. Lorsqu'elle s'était rendue à la maison des Marronnier pour voir les sculptures, elle n'avait pas rencontré Anne, que Fanie et Benoit avaient pris soin de cacher dans son atelier. Toute à sa joie et à son orgueil d'avoir découvert une artiste exceptionnelle, elle n'avait pas vraiment compris à quel point la vie de Fanie était difficile. À son tour, elle

20. Expression yiddish signifiant plus ou moins *Bon sang !*

distingua mieux ce que Benoit voyait chez la jeune fille aux lunettes rondes et aux cheveux raides.

Lorina entendait toute l'histoire pour la première fois. Elle écouta respectueusement, religieusement. À bien des égards, cette jeune Fanie lui rappelait Dave Herbert, qu'elle adorait. Elle détectait chez l'adolescente la même détermination, la même volonté, la même honnêteté, la même foi peut-être, qu'elle soit croyante ou non. Pour une autre que Fanie, la vieille femme aurait éprouvé de la pitié. Mais Fanie n'avait pas besoin de pitié, seulement d'un peu d'aide. Lorina se disait qu'elle avait bien de la chance de rencontrer tant de jeunes aussi délicieusement vivants, elle qui allait bientôt fêter son quatre-vingt-huitième anniversaire. Lorina Liddell, qui n'avait pas toujours eu une vie très facile non plus, remerciait Dieu, ou le ciel ou les étoiles, ou la table de cuisine, de n'être pas encore morte.

Finalement, Fanie se tut. Voilà, une personne de plus savait. Elle qui, une semaine auparavant, n'aurait jamais rien voulu avouer de la folie d'Anne. Étrange.

Après un moment de silence recueilli, Lorina dit :

— Ainsi, je ne ferai pas qu'encourager un talent qui émerge. Si tout se passe bien, j'encouragerai aussi sa personnalité à émerger. Un mécénat thérapeutique, en quelque sorte. Ce doit être une première en son genre.

Elle regarda sa petite-fille, l'air complice.

— Jessica, had I known this beforehand, I would still have said yes[21].

— I know, grandma. I know you[22].

— Néanmoins, reprit la grand-mère, je suis contente que les œuvres soient valables. Nous ferons donc d'une pierre deux coups.

Puis, s'adressant à Fanie :

— Tu es une jeune femme très courageuse, Fanie. Je suis heureuse de t'avoir rencontrée.

Fanie sourit avec reconnaissance.

— Et vous êtes la personne la plus merveilleuse que j'aie rencontrée dans ma vie. Jessica est chanceuse d'avoir une grand-mère comme vous.

Benoit, le cœur à l'envers, serrait toujours la main de Fanie.

---

21. Jessica, si j'avais su tout cela tantôt, j'aurais quand même dit oui.
22. Je sais, grand-m'man. Je te connais.

10
Con allegrezza

— Anne ! Tu l'as eu, t'es dehors ! cria Benoit en sautillant de tous les côtés, complètement foufou.

— Continue, maman ! l'encouragea Fanie, excitée, les bras tendus. Continue, il te reste juste quelques pas ! Viens nous rejoindre !

Anne Marronnier se tenait juste à l'extérieur de la maison, l'air parfaitement ébahie. Elle serrait contre elle la nouvelle Reine des Fées, qu'elle avait terminée le matin même. Cette sculpture était encore plus belle que la première, et elle ressemblait encore plus à Fanie.

Anne hésita, voulut regarder derrière elle, mais les deux jeunes l'appelèrent de nouveau, avec un enthousiasme autoritaire.

— Non ! Regarde pas par là ! s'écria Benoit impérieusement.

— Maman, c'est pas le temps de flancher, là. Concentre-toi sur nous. Regarde nos visages. Regarde nos sourires. C'est toi qui nous fais sourire, maman. C'est parce qu'on est fiers de toi. Viens-t'en. Viens.

Anne avala sa salive. Une peur insoutenable la tenaillait, lui vrillait le ventre. Mais c'était vrai, elle était sortie! Elle était dehors, elle sentait l'air frais sur ses lèvres, le sol plus mou, plus vivant, sous les semelles de ses bottines. Fanie et Benoit l'avaient tarabustée pour qu'elle s'habille chaudement: chandail de laine, veste d'automne, foulard, gants, bottines. Quand on sort, avaient-ils dit, on s'habille en conséquence. Anne se sentait déguisée. Pendant des mois, elle n'avait porté que des vêtements d'intérieur et ses pelures supplémentaires la déroutaient un peu.

Elle regarda le vieil érable, au milieu de la cour, et sut aussitôt qu'elle n'aurait pas dû. Il avait toujours l'air effrayant, comme un gobelin géant, griffu, denté. Elle trembla un peu plus.

— C'est juste un arbre, maman, dit Fanie d'un ton pressant. Juste un vieil arbre à moitié mort, merde, il va pas te manger. Tu peux plus reculer, maman, il faut que ça débloque, il faut!

Anne força ses yeux à regarder les visages exaltés des deux adolescents. Elle ralentit sa respiration sifflante, elle relaxa ses bras raidis. Puis, en quatre ou cinq pas précipités, elle trébucha jusqu'à sa fille et son ami et s'affala sur la table de pique-nique, car elle ne pouvait plus se tenir debout.

Fanie et Benoit l'entourèrent de leurs bras solides, fiers et heureux et très émus. La jeune fille embrassa sa mère avec fougue.

— Maman, t'es la plus forte, dit-elle avec tendresse. Je savais que t'étais capable. Je le savais. Il nous restait juste à t'en convaincre.

Benoit déposa un baiser affectueux sur la joue d'Anne. Il ne la connaissait, somme toute, que depuis quelques jours, mais il avait vécu plus intensément pendant ces courts moments avec les Marronnier qu'avec beaucoup de ses soi-disant amis, qu'il fréquentait depuis des années. Tenir la main d'une personne en proie à une crise de panique, la calmer, la rassurer, ça accélère l'établissement de liens serrés.

— Bravo, Anne, la félicita-t-il, enjoué. T'as fait ça comme une grande.

Fanie était soulagée. Le déblocage n'avait jamais été aussi urgent.

Aujourd'hui, Patrick Marronnier devait venir les visiter, sa docteure en laisse, avec ses idées d'internement et de garde non partagée. Il avait téléphoné hier pour annoncer sa venue. Fanie se remémora l'échange en frissonnant.

— Allô ?

— Fanie ? C'est papa, ma puce.

Une pause, puis :

— Ah.

— Ça fait du bien de t'entendre, ma belle. Ça va ? Je veux dire, euh, t'arrives à te débrouiller ? Avec ta mère ? C'est presque fini, là, tu sais.

— Je m'arrange.

— J'en doute pas, j'en doute pas. T'es débrouillarde, je l'ai toujours dit. T'as pas eu de problèmes avec l'argent ? J'ai jamais manqué à ma promesse, hein, t'as vu ? Quatre cents piastres tous les lundis.

— Bravo, papa. On devrait te donner une médaille.

— Quatre cents piastres, c'est beaucoup d'argent, Fanie. Puis c'est moi qui paie tous vos comptes. As-tu remarqué que vous recevez jamais de factures à la maison ?

— J'ai pas eu le temps. Je suis trop occupée à soigner maman et à essayer de pas couler mon année.

Un long silence au bout du fil, une respiration inégale.

— Bon, euh, je vois que t'es pas d'humeur à parler. Tu as tes raisons, j'en conviens. Mais je veux pas que tu croies que toute cette histoire-là, c'est juste une grosse blague pour moi. Je suis pas en croisière, moi non plus. Le nombre de démarches à faire pour résoudre notre problème correctement… c'est pas croyable, Fanie, c'est juste pas croyable. Je suis pas en vacances, là. Je travaille pour tout régler. Comprends-tu ?

— Papa, qu'est-ce que tu veux ?

— Euh, je… je t'appelais pour te dire que c'est demain qu'on va passer. Moi et le docteur. La docteure. C'est une amie. Tu vas voir, elle est très correcte, très professionnelle, elle s'appelle Sophie, elle ne va faire aucun mal à Anne, t'as pas à t'inquiéter. On va arriver vers 13 h, faudrait que tu t'arranges pour que ta mère soit prête, tu sais, qu'elle soit habillée, qu'elle ait mangé, qu'elle sache un peu ce qui se passe…

— Tu veux que je lui dise que tu viens la chercher pour la faire enfermer ? Tu m'étonnes.

— Fanie, tu sais ce que je veux dire ! Sophie va diagnostiquer la maladie d'Anne une fois pour toutes, j'aimerais juste qu'elle soit assez tranquille pour qu'on puisse l'examiner.

— Un chausson avec ça ?

— Pardon ?

— Qu'est-ce que tu fais si je te dis qu'on peut pas faire ça demain ? Qu'on avait déjà autre chose au programme ?

— Ah, non, non, Fanie, il faut que ça se fasse demain, c'est le seul temps qui adonne, on n'a pas le choix.

Fanie resta muette.

— Fanie ? Fanie, t'es là ? Écoute, ma puce, je sais que c'est difficile, mais c'est presque fini, crois-moi. Dans quelques jours, ta mère va recevoir les soins dont elle a besoin, et toi et moi on va être ensemble. Je sais que j'ai pas toujours été un père parfait, mais là, on va pouvoir tourner la page. Repartir du bon pied. Fanie ? Je… j'essaie de faire ce qui vaut le mieux pour tout le monde. Tu comprends ?

— Passe demain avec ton docteur. Ta docteure. Si on est là, on est là, sinon, tu reviendras une autre fois.

— Fanie, c'est pas drôle! On arrive vers 13 h et il ferait mieux d'y avoir…

C

Fanie avait raccroché, dégoûtée, incapable d'en entendre plus. Cet homme était sûrement aussi fou qu'Anne. Comment expliquer autrement une telle irresponsabilité?

— J'en reviens pas! avait crié Benoit, aussi médusé qu'elle. Pourquoi tu l'envoies pas juste chier?

— Oh, ça me tente, Benoit, ça me tente, avait-elle répondu avec lassitude. Mais il a raison à propos d'une seule chose: c'est vrai que c'est pas une mauvaise idée que ma mère rencontre un docteur. Ça peut pas faire de tort. Merde, Benoit, on sait pas, peut-être qu'elle est en danger de mort et qu'en la gardant ici on la tue à petit feu. Peut-être qu'il *faudrait* la mettre en institution. Je sais pas.

— Tu penses ça pour vrai? avait riposté Benoit, étonné de la véhémence de ses propres sentiments. Coudonc, Fanie, tu le sais qu'on lui fait du bien, à ta mère. Elle fait des progrès, elle est sur le bord de sortir dehors. Elle est pas suicidaire, on arrive à l'aider sans lui donner de médicaments, qu'est-ce que tu veux de plus?

— *Je sais pas,* c'est ça, l'idée. C'est pour ça que je veux pas envoyer mon père chez le bonhomme. Je veux pouvoir parler à sa psychiatre… et peut-être la laisser parler à maman. Cette Sophie-là, elle a beau être l'amie de mon père, elle doit quand même avoir un minimum d'éthique professionnelle. Elle va pas envoyer ma mère à l'asile juste pour faire plaisir à Patrick Marronnier.

— J'espère, avait conclu Benoit, lugubrement. J'espère.

Et aujourd'hui, Anne était assise dehors, sa Reine des Fées dans les mains, et Fanie exultait.

Maintenant qu'elle savait que sa mère n'était pas entièrement irrécupérable, elle pourrait plus facilement tenir tête à son père. Pas question de se laisser enfirouâper. Fanie, grisée par son succès – et sa belle relation avec Benoit –, était plus déterminée que jamais.

Anne, recroquevillée sur le banc de bois rugueux de la table de pique-nique, n'en menait pourtant pas large. D'accord, elle était dehors, complètement dehors, mais elle n'aimait pas cela. Elle se sentait atrocement vulnérable, ses intestins lui pesaient, elle avait mal au cœur, elle se sentait étourdie. Elle se retenait pour ne pas vomir, elle ne voulait pas décevoir Fanie et Benoit.

— Maman ? Ça va ?

Fanie était penchée vers elle, l'air inquiète, les yeux pleins de cette attention vigilante qui la réchauffait tant. Anne hésita, voulut mentir, puis se ravisa.

— Non, avoua-t-elle d'une voix blanche. Ça va pas. Je pense que je vais être malade. Est-ce qu'il faut que je reste dehors encore longtemps?

Fanie l'embrassa, le cœur serré.

— Non, maman, dit-elle. On peut rentrer, maintenant. On en a fait pas mal pour aujourd'hui. Mais je veux juste te demander une chose, là. Est-ce que tu penses que tu vas être capable de sortir encore tantôt? C'est ça qui est important.

La gorge d'Anne se comprima comme un ballon dans l'eau glacée et elle fit la grimace à la pensée de devoir recommencer cette épreuve. Rouvrir la porte, sentir les doigts d'air froid lui enserrer la nuque et se faufiler dans ses cheveux, s'avancer vers le vieil érable. Horrible.

Mais elle devait bien admettre qu'elle n'était pas morte. Elle souffrait d'une puissante nausée qui grimpait lentement vers ses lèvres, mais elle n'était pas morte. C'était, tout de même, plutôt positif.

— Peut-être, fit-elle, incertaine. Si vous êtes avec moi.

— On s'en va pas nulle part, Anne, dit Benoit d'une voix rassurante. On reste avec toi.

— Fanie? Il est quelle heure, là?

— Midi et quart, maman.

Anne eut un bizarre de rire impassible.

— Patrick arrive dans trois quarts d'heure.

— Tu te souviens de ce que je t'ai dit? T'es pas obligée de le rencontrer. Au début, c'est juste moi qui vais lui parler. Toi, tu vas rester avec Benoit. Si je pense que ça vaut la peine, je t'appellerai et vous viendrez. Ça va?

— S'il faut que je rencontre la docteure, plaida-t-elle, et ses yeux se mouillèrent, encore, encore, encore, tu... vous allez rester avec moi?

— Oui.

Au loin, on entendit une automobile vrombir. Le bruit s'intensifia, modula, le véhicule se rapprochait. Puis il ralentit, stoppa dans un ou deux borborygmes mécaniques. Deux portières claquèrent. Et faiblement, au loin:

— C'est ici.

— C'est lui, s'étonna Fanie, les yeux ronds. Il est en avance, merde!

Elle se pencha nerveusement vers sa mère.

— Maman, est-ce que tu me fais confiance? demanda-t-elle, frénétique.

— Oui, répondit Anne sans hésiter.

— Alors, suis Benoit!

Fanie s'élança à toutes jambes dans la maison. Anne fit mine de la poursuivre, apeurée comme un lièvre, mais Benoit lui prit la main et l'entraîna vers le fond de la cour.

— Viens, Anne, viens vite!

Anne suivait mollement. Elle ne réagit vraiment que lorsque Benoit ouvrit la porte de la cabane de jardin et tenta de l'y faire entrer. Elle se mit alors à lutter et à se débattre, la panique montante.

— Anne, calme-toi! chuchotait l'adolescent. Il n'y a pas de danger, je suis là!

— Pas là-dedans ! Pas là-dedans, il fait noir !

— Non, il fait pas noir ! répliqua Benoit, énervé. J'ai une lampe de poche, je reste avec toi ! C'était l'idée de Fanie, Anne, fais-le pour Fanie ! Fais confiance à ta fille, il t'arrivera rien, Fanie s'occupe de tout !

Anne pleurait sans retenue maintenant, mais elle n'offrait plus de résistance. Benoit l'attira, la tira dans la cabane, alluma sa lampe de poche, ferma la porte du pied. La femme regarda autour d'elle, effrayée, la vision brouillée. En sanglotant, elle se laissa glisser par terre, entre la tondeuse à gazon et une série de chaises pliantes. Benoit soupira, s'assit à côté d'elle, passa son bras autour de ses épaules et la serra tendrement contre lui.

11
Con fuoco

La sonnette de la porte d'entrée se faisait insistante. Fanie accéléra le pas, se déshabilla en vitesse, balança son manteau sur la rampe de l'escalier et ses bottes dans un coin du vestibule. Elle déverrouilla la porte en maugréant :

— O.k., o.k., pas de panique, là, y a pas le feu.

Elle ouvrit lentement la porte, aussi grand que possible sans fracasser le bout de l'aile de l'Ange Vert. Son père trépignait de l'autre côté, accompagné d'une dame dans la trentaine, cheveux courts et lunettes au design extravagant.

— Ah, c'est toi, fit Fanie platement.

— Bonjour, ma puce, répondit Patrick avec une bonne humeur qui sonnait faux. Je suis content de te voir, ça me fait du bien. On peut entrer ?

— Fais comme chez toi.

Fanie s'effaça derrière la porte d'entrée, les invitant d'un geste à entrer. Son père voulut pousser la porte, qui se révéla peu coopérative.

— Attention, merde ! le rabroua Fanie. Fais juste rentrer, obstine-toi pas.

— La porte a un problème? dit son père, surpris, en se faufilant dans le vestibule. Viens, Sophie.

Fanie sourit froidement et indiqua l'Ange du doigt.

— Non, c'est juste ça qui bloque.

Patrick leva les yeux et, d'ébahissement, laissa échapper une monosyllabe plus ou moins bienséante. La psychiatre entra à son tour, à petits pas délicats.

— Bon sang, Fanie! Ça s'arrange pas, ta mère! C'est quoi, cette horreur-là?

Fanie haussa les épaules, sans daigner s'expliquer davantage. Elle prit poliment les manteaux des visiteurs et les suspendit dans la garde-robe du vestibule. Quand elle se retourna, elle remarqua que son père était différent, qu'il avait changé depuis son départ. Outre ses cheveux qui avaient allongé et qu'il tirait vers l'arrière en queue de cheval – très crise d'ado retardée –, il semblait plus nerveux qu'auparavant. Patrick Marronnier était un homme plutôt séduisant, aux traits forts et au teint foncé qui contrastait avec ses yeux très bleus. Il était grand, mais il se tenait courbé; il avait déjà été mince, mais son estomac commençait à prendre la place qu'un estomac occidental estime lui revenir de droit. Il portait habituellement des chandails de tricot, des pantalons lâches et des médaillons d'argent autour du cou; le parfait professeur de cégep. Aujourd'hui, par contre, il avait opté pour un complet-veston, cravate et mouchoir – très déconcertant. Il se balançait sur ses talons, et il avait déjà chaud. Peut-être, toutefois, n'était-ce que le stress de cette rencontre particulière. Sophie, manucurée, maquillée, pomponnée, disséquait l'Ange du regard, mais avec un certain détachement professionnel, comme il sied.

— C'est une des sculptures dont tu m'as parlé ? demanda-t-elle à Patrick.

Le père de Fanie rajusta lentement sa cravate et s'essuya le front avec son mouchoir.

— Oui, dit-il d'un air absent. Mais c'est une nouvelle, celle-là, je l'ai jamais vue. C'est épouvantable, hein ?

Sophie eut un rictus appréciatif.

— Non, je trouve ça très beau. Indépendamment de ses problèmes psychologiques, ton épouse est une grande… sculptrice, sculpteure ? Je ne l'ai jamais su… enfin…

Fanie se redressa, intéressée. Les débats sémantiques, étymologiques et philologiques la passionnaient depuis toujours, elle qui adorait les mots, et, comme elle n'avait aucun scrupule à ralentir les procédés, elle commenta plaisamment :

— C'est les deux. Au Québec, ça c'est sûr. En France, je sais pas.

— Ah bon ?

— Oui, j'ai vérifié, ça m'agaçait moi aussi. J'ai juste trouvé « sculpteur », sans aucune forme féminine, dans le Larousse et le Robert. Ça m'a assez dérangée, je dois dire. Mais c'est peut-être que mes dictionnaires sont trop vieux. Même que…

— Fanie, interrompit sèchement Patrick.

— Mmh ?

— Où est ta mère? J'aimerais mieux ne pas faire attendre Sophie.

Fanie alla s'asseoir dans l'escalier.

— C'est ben de valeur, papa, mais on va la faire attendre pareil. Faut qu'on se parle, toi et moi.

Patrick se mordit les lèvres et parut faire un effort surhumain pour ne pas hurler. Il avait l'air à bout de nerfs.

— Fanie, c'est pas le moment de faire la smatte! Où est-ce que ta mère est rendue?

L'adolescente frémit. Quand on a quatorze ans, même si on sait qu'on a raison, la voix d'un parent peut encore impressionner. Plus que les mots, c'est le ton qui en impose. Des relents de respect filial émergeaient vaguement, marbrant la surface lisse de son indignation.

Elle se ressaisit presque aussitôt. Depuis quelques années, Patrick Marronnier avait fait bien peu pour mériter le respect de sa fille.

— Maman est partie faire un tour, indiqua-t-elle simplement, refusant d'avoir peur.

— Prends-moi pas pour un imbécile, Fanie! riposta son père, dérouté. Tu dis des niaiseries. Il faut que Sophie puisse lui parler, me semble que c'est pas compliqué. C'est pour son bien, je pensais que t'avais compris ça!

— Maman est plus forte que tu l'imagines, affirma Fanie avec fierté. Elle est pas dans la maison, si tu veux le savoir.

— Ah, sois sérieuse! Anne peut pas aller nulle part, elle peut à peine sortir de son atelier. Elle est dans la maison, c'est certain. Je vais fouiller s'il le faut, tu sais.

— Fouille si tu veux, siffla Fanie, méprisante. Ça va juste montrer à ta copine à quel point t'es ridicule. Maman est sortie, je te dis. Elle est avec... elle est avec un ami. Quelqu'un qui nous aime. Quelqu'un qui a décidé de nous aider pour vrai, lui.

Patrick recula comme si elle l'avait frappé.

— Fanie, sois polie, au moins! souffla-t-il, honteux, en colère.

— Polie! persifla Fanie. T'as du front de me parler de politesse, toi. T'es parti sans rien dire, en laissant un message de tèteux sur le répondeur. Sur le répondeur, maudit, c'est-tu assez quétaine à ton goût? C'est ça que t'appelles de la politesse?

Sans attendre de réponse, ignorant les grognements de son père, Fanie se pencha vers la psychiatre.

— Si vous voulez nous excuser, madame...?

— Mathieu.

— Madame Mathieu, vous êtes bien gentille de vous être déplacée aujourd'hui, déclara onctueusement Fanie. Si vous voulez bien nous attendre au salon, il faut que je discute avec mon père, en privé.

— Fanie, bon sang, arrête de nous faire perdre notre temps, veux-tu? gronda Patrick en essayant de raviver ces mêmes sentiments de respect filial qu'il savait confusément avoir détruits. Cette rencontre part tout croche. Arrête de délirer, là, et va chercher ta mère!

Sophie Mathieu déposa doucement mais fermement la main sur l'épaule de Patrick.

— Calme-toi, dit-elle d'une voix apaisante où perçait tout de même une petite pointe de sévérité. Ce n'est pas la peine de te mettre dans un état pareil. Si ta fille croit qu'elle doit te parler seule à seul, elle a sûrement des raisons valables. Je vais attendre en admirant les sculptures, d'accord?

Elle se dirigea ensuite dignement vers le salon. En passant près de la jeune fille, elle se pencha et murmura:

— Tu sais, je crois que je pourrais vraiment aider ta mère. Ne refuse pas mon aide seulement parce que je suis venue avec ton père.

— J'en ai pas contre vous, fit Fanie d'un ton neutre.

Sophie sortit, en équilibre précaire sur ses talons hauts.

— Merde, Fanie, qu'est-ce qui te prend? se plaignit Patrick. T'étais pas difficile de même, avant. Écoute, ma puce…

— Appelle-moi pas de même! cracha Fanie. Appelle-moi plus jamais de même.

Patrick Marronnier ne savait plus comment réagir. Rien ne se déroulait comme prévu. Il s'était bien douté que cette rencontre n'allait pas être facile, mais l'hostilité de Fanie était infiniment plus grande que ce à quoi il se serait attendu.

— Mais, Fanie…

— Tais-toi!

La voix de l'adolescente claquait comme un fouet. Patrick, malgré lui, se tut, choqué.

— Quand j'ai dit qu'on avait à se parler, reprit Fanie en luttant contre les premières larmes, j'étais seulement « polie ». En fait, c'est moi qui ai à te parler. Toi, t'as juste à écouter. T'es pas ben bon là-dedans, je le sais, mais tu vas te forcer pour une fois.

Patrick, mal à l'aise, se tortilla un instant, voulut protester, se ravisa. Il sentait vaguement qu'il était en grande partie responsable de cette horrible situation, sans très bien comprendre ce qu'il avait fait de si mal. Il s'était sauvé, d'accord, ç'avait été une erreur, mais il travaillait très fort depuis pour tout rectifier. Il croyait presque sincèrement que Fanie ne pouvait pas préférer prendre soin d'une folle plutôt que de mener une vie tranquille avec lui. Il s'adossa au mur, fixa le bout de ses souliers et attendit. Il écoutait. Fanie prit une grande inspiration, rassemblant ses idées et son courage, peu sûre de ce qu'elle voulait dire exactement, et dans quel ordre. Finalement, elle se lança :

— Tu sais, papa, pendant que tu te cachais comme un peureux et que tu te pensais ben hot parce que tu m'envoyais de l'argent, moi, je m'occupais de maman. Pendant que tu te donnais l'illusion de l'importance parce que t'allais voir des docteurs puis des avocats, moi, je la faisais manger, je la serrais dans mes bras, je la consolais quand elle avait de la peine. Maudit, ça fait des années que je fais ça ! Même quand t'étais encore là, c'était moi qui prenais soin de maman ! C'est pour ça que quand t'es parti, j'ai pas paniqué. Je savais que je pouvais me débrouiller. Tu le savais toi aussi, c'est ça qui est écœurant. T'as sacré ton camp en te disant que t'avais pas à t'inquiéter, que ta fille de quatorze ans était parfaitement capable de s'occuper de sa mère tellement malade qu'elle pouvait même plus mettre le nez dehors. Pas de gros changement, dans le fond, ça fait des années que tu te pognes le cul puis que tu l'approches même plus, maman.

— Fanie, t'es pas juste ! se regimba Patrick. Je travaillais, je...

— Fais-moi pas rire ! Merde, t'es prof de *cégep,* railla Fanie. Ça revient tout le temps à l'argent avec toi, hein ? Tu nous apportes du cash, tes responsabilités s'arrêtent là. Ta femme souffre d'une maladie mentale grave, y a rien là, ta fille va s'en occuper. On sait ben, Fanie a rien d'important à faire dans la vie, c'est pas comme si elle avait de l'école ou des amis ou une vie à vivre. Tu le savais que j'allais me retrousser les manches puis que je ferais le nécessaire pour elle, et même plus. Ben je vais te dire une affaire, Patrick Marronnier : tu nous sépareras pas aussi facilement que tu penses. J'ai pas passé à travers toute cette merde-là pour que t'arrives en te prenant pour mon sauveur et que tu fasses enfermer ma mère. En te poussant comme tu l'as fait, t'as accompli exactement le contraire. Tu m'as tellement rapprochée de maman qu'il est pas question, pas une seconde, que tu nous sépares.

Fanie reprit goulûment son souffle. Elle était en colère, ses poings se fermaient d'eux-mêmes, en petites boules dures de frustration. Patrick profita de la pause et dit, d'une voix empreinte de compassion :

— Fanie, je comprends tout ça, c'est des sentiments qui t'honorent, mais c'est pas réaliste, c'est l'émotion qui parle. Penses-tu vraiment que t'es qualifiée pour soigner une malade comme ta mère ?

— PAPA, CÂLISSE ! aboya Fanie, hors d'elle. Pourquoi tu m'as laissée toute seule avec elle, d'abord ? Non mais faut-tu être hypocrite, c'est pas croyable ! Tu me prends vraiment pour une épaisse ! Ben fuck you ! Fuck you !

Fanie s'arrêta, bouche ouverte, apparemment aussi surprise que Patrick de cet élan de violence. De nouveau, elle s'efforça au calme et reprit, en baissant le ton :

— Penses-tu que je suis tellement niaiseuse que j'y ai pas pensé, à ça ? Ça m'angoisse depuis le début. C'est la seule raison pour laquelle je t'ai laissé remettre les pieds dans la maison. Ta Sophie, c'est vrai qu'elle peut nous aider. C'est sûr que j'aimerais ça savoir exactement c'est quoi le problème de maman. Je suis pas idiote, je veux l'aider pour vrai.

Elle eut un sourire fugace.

— Remarque, Benoit, lui, il trouve qu'on n'a besoin de personne, qu'on est en train de guérir maman par nous-mêmes.

— Benoit ?

Fanie ne dit rien pendant quelques instants. Elle songeait à Benoit, à son rire et à sa tendresse, à ses gestes caressants et à sa façon de lui faire sentir qu'elle était importante pour lui. Chaque jour, elle s'émerveillait encore de la chance inouïe qui avait mis le petit batteur aux grands yeux sur son chemin.

— C'est un ami, c'est de lui que je parlais tout à l'heure. Un gars extraordinaire, qui a décidé de rester près de nous, même quand il a compris à quel point maman pouvait être difficile à vivre. Quelqu'un de courageux.

Patrick hocha silencieusement la tête. Il se laissa lentement glisser le long du mur, jusqu'à s'asseoir par terre. Ses jambes ne le soutenaient plus.

— C'est toi-même qui arrêtes pas de dire que je suis forte, continua Fanie. C'est vrai, je suis forte. Mais je suis lucide aussi. S'il faut placer maman en institution, c'est moi qui vais en décider. Moi. Pas toi. Tu la connais même plus. Tu sais même plus qui elle est. Tandis que moi, j'ai vécu des moments avec cette femme-là que tu croirais même pas si je te les racontais. Cette femme-là, c'est ma fille maintenant.

Patrick enroulait et déroulait machinalement une mèche de cheveux autour de son index, l'air absent.

— Je suis désolé, Fanie, s'excusa-t-il d'une voix enrouée. J'avais pas réalisé, je savais pas que…

— C'est trop tard, papa.

— Dis pas ça, insista Patrick. Il est jamais trop tard. Écoute, laisse Sophie parler à Anne, puis ensuite viens avec moi, on peut déménager si tu veux, si la maison est trop pleine de souvenirs. Je vais me racheter, tu vas voir.

Fanie soupira.

— Tu comprends rien, hein ? Tu penses que tout peut s'arranger de même, parce que tu le veux.

T'es rien qu'un enfant, toi aussi, comme maman. Sauf que toi, t'as même pas l'excuse d'être malade. Je suis pas capable de m'occuper de deux enfants de quarante ans. J'ai mes limites. J'irai pas vivre avec toi, papa. Tu perds ton temps. Bon, c'est tout. Je vais aller chercher maman. Tu peux avertir Sophie ?

Patrick se redressa d'un coup sec.

— Wooh, minute ! s'exclama-t-il, avec un sursaut d'énergie. On n'a pas fini de parler, Fanie ! Qu'est-ce que tu veux dire, tu viendras pas vivre avec moi ?

— Tout à l'heure, tu me criais après pour que j'aille chercher Anne, ironisa Fanie, puis là, tu veux encore discuter ?

— Réponds-moi ! répéta Patrick. Qu'est-ce que tu veux dire ?

— Mon Dieu, ça me semble clair. Je reste avec maman. Et si ça, c'est impossible, je veux être placée en foyer d'accueil.

— T'es pas sérieuse ! s'écria son père, interloqué. T'es complètement partie, ç'a pas de bon sens ! Fanie, je suis quand même ton père !

Fanie fronça les sourcils et dévisagea farouchement cet homme qu'elle trouvait tout, tout petit. Quand elle parla, sa voix était comme un vent glacial.

— Patrick Marronnier, t'as abdiqué ton titre de père la minute où tu t'es sauvé d'ici. Je te dégage formellement de toutes tes responsabilités parentales, sauf une, celle qui semble te rendre si fier : tu peux – tu dois – continuer à nous envoyer de l'argent chaque semaine. Et même ça, ça devrait pas durer trop longtemps. Benoit et moi, on est en train d'organiser quelque chose qui pourrait bien, si tout va comme prévu, nous procurer une certaine indépendance financière. Si ça marche, je vais t'avertir. À partir de ce moment-là, tu vas être libre comme l'air. T'auras plus d'épouse, plus de fille. Tu feras bien ce que tu voudras.

Patrick gargouillait, révolté, sidéré.

— Mais merde, Fanie, j'ai quand même certains droits ! Je *suis* ton père ! Je vais demander ta garde légale. Tu vas voir, tu vas finir par me remercier.

— Tu l'auras pas, ma garde, papa, dit posément Fanie. Je veux pas que tu l'aies, puis tu l'auras pas.

Elle enfonça la main dans la poche de son jeans et en sortit une feuille de papier soigneusement pliée en huit. Elle la tendit solennellement à son père, qui la prit d'une main mal assurée, la déplia et la reconnut immédiatement.

— Tu t'en souviens, papa ? s'enquit flegmatiquement Fanie. Tu m'as laissé ça dans la boîte aux lettres, quand tu t'es enfui. « Encore quelques jours (quelques semaines au maximum, juré) », blablabla, « je crois qu'il vaudrait mieux éviter de mentionner mon départ précipité devant le juge », blablablabla. Pensais-tu vraiment que j'allais la détruire ? T'es nono pas à peu près, des fois. Tu peux la garder, c'est une photocopie, évidemment. Avec ça, je pense pas qu'un juge va vouloir me laisser vivre avec toi, tu sais.

Anéanti, Patrick replia machinalement la lettre et la rangea dans sa poche.

— Moi, j'ai fait ce que je croyais bien, murmura-t-il. Je me disais… je croyais… T'es dure, Fanie, t'es ben dure…

Fanie ramassa son manteau, passa sans un regard près de son père prostré, chaussa ses bottes.

— Je vais chercher maman.

Patrick la regardait s'habiller, hébété.

— Anne est… elle est vraiment pas dans la maison ? demanda-t-il, la curiosité et l'incrédulité l'emportant.

— Tu lui aurais même pas laissé une chance, toi, hein ? cracha Fanie, furieuse.

Elle sortit.

C

Benoit essuya encore la bouche d'Anne avec un kleenex. L'odeur de vomissure était puissante ; elle prenait à la gorge et donnait envie d'être malade à son tour. L'adolescent avait hâte que Fanie vienne les chercher.

— Je m'excuse, je suis dégueulasse, pleurnichait Anne, je suis pas capable de me retenir… puis je pue… je pue…

— Arrête, dit Benoit avec commisération. C'est pas toi qui pues, t'as fait ça dans le coin, il n'y a pas de honte à y avoir. On t'a prise par surprise, c'est pas étonnant que t'aies eu peur. Mais je suis là, et Fanie pense à toi. Elle va venir nous rejoindre dans pas longtemps, inquiète-toi pas. Rassieds-toi, essaie de prendre ça cool. Veux-tu la lampe ? Ça va peut-être te faire du bien.

Anne serrait Benoit contre elle de toutes ses forces, elle s'accrochait à lui, ses doigts étaient crispés dans le dos du jeune homme. À contrecœur, elle relâcha son étreinte, recula d'un pas. Ses sanglots s'espaçaient. Elle s'affala par terre, empoigna la lampe de poche avec reconnaissance. Le jeune homme et la femme attendaient, en observant le cercle de lumière jaune se balader sur le plafond bas de la cabane.

— Anne ?

— Hmm ?

— Tu pleures plus.

— J'ai plus de larmes.

Benoit chercha la main libre de l'artiste, la trouva, la serra affectueusement. Il n'arrivait pas à croire comme il avait changé, en si peu de temps.

— On va te guérir, tu sais, dit-il avec la ferveur d'un acte de foi. Tu me crois ?

Anne fit jouer la lumière au plafond pendant de longues minutes avant de répondre.

— Je te crois.

Des pas à l'extérieur. Benoit se pressa contre Anne, posa son index sur les lèvres sèches de la femme pour lui indiquer de garder le silence. Anne se figea contre lui, docile. Elle avait peur que ce soit Patrick, elle ne voulait pas voir son mari.

La porte s'ouvrit tout doucement et Fanie entra. Elle fit la grimace lorsque l'odeur rance de nourriture à demi digérée assaillit ses narines, mais elle n'en parla pas. Elle se doutait de ce qui s'était passé, et elle s'en culpabilisait.

— Comment ç'a été? demanda-t-elle malgré tout.

— Très bien, très très bien, la rassura Benoit, mais son visage indiquait que l'expérience avait été éprouvante.

Fanie tendit la main à Anne, l'aida à se relever, l'embrassa. Elle se détestait de n'avoir pu penser à un plan plus facile pour sa mère. Mais elle ne pouvait réprimer un indéniable sentiment d'orgueil: Anne était vraiment capable de beaucoup, elle avait seulement oublié.

— Je suis désolée de t'avoir fait vivre ça, maman, fit-elle, contrite. Je m'excuse, c'est tout ce que j'ai trouvé pour prouver que t'es pas incurable. C'était maladroit. J'essaie de faire des miracles, mais… je m'excuse.

— Benoit a pris soin de moi, dit Anne simplement.

— Je sais. Il est merveilleux.

Fanie se tourna vers le petit batteur, déjà rose d'orgueil, et l'embrassa à son tour. Benoit se raidit une seconde, surpris, puis se laissa aller, enfouissant son visage dans les cheveux de son amie, respirant avec bonheur son odeur chaude. Il sentait les rondeurs molles de ses seins écrasés contre lui.

— Merci, chuchota-t-elle à son oreille.

Benoit lui caressa la nuque, effleura doucement son menton.

— Je suis content de vous avoir trouvées, dit-il. Je pense que c'est la meilleure chose qui me soit jamais arrivée.

Il sourit, pas très à l'aise. Il était tout à coup fleur bleue, sentimental. Il n'avait pas l'habitude de ce genre d'aveux. Mais il en vivait chaque mot. Et Anne et Fanie n'avaient pas l'air de le trouver quétaine.

— J'ai quelqu'un à te faire rencontrer, maman, annonça soudain Fanie pour meubler le drôle de silence qui avait suivi la déclaration de Benoit.

— La docteure?

— Oui.

Anne poussa un long soupir découragé.

— Je sais que c'est pas ce qui te tente le plus, maman. Mais je pense que tu devrais lui parler. Je l'ai vue. Elle a l'air correcte, elle s'appelle Sophie Mathieu. Benoit et moi, on fait notre possible, mais on n'est pas des spécialistes. On sait pas tout, peut-être qu'on fait des choses qu'on devrait pas, des choses qui t'aident pas à guérir.

— Vous avez réussi à me faire sortir de la maison, dit Anne, raisonnablement. Vous m'avez fait entrer dans cette cabane.

Benoit hocha la tête, plutôt d'accord.

— Maman, c'est ben beau, ça, insista Fanie, mais moi, je me sentirais mieux si tu allais voir la docteure. Juste une fois. On va rester près de toi, si ça te rassure.

Anne ferma les yeux, parut réfléchir profondément. La lumière de la lampe de poche lui arrivait directement sous le menton, lui prêtant l'aspect sépulcral d'un fantôme fatigué.

— Est-ce que Patrick est là ? demanda-t-elle soudain.

— Oui. Mais t'es pas obligée de le voir. Il m'emmènera pas, inquiète-toi pas. J'ai tout arrangé.

— Je veux pas le voir.

— O.k., dit Fanie en la prenant par les épaules. Tu le verras pas. Viens, maintenant. On retourne à la maison. Viens, Benoit.

Benoit était heureux. L'adolescente lui sourit, avec reconnaissance et tendresse. Il ne la trouvait toujours pas particulièrement jolie, mais il était amoureux.

— Fanie?

— Oui, maman ?

— Je suis écœurée de rentrer et de sortir toute la journée.

Fanie et Benoit éclatèrent de rire, un rire qui faisait du bien, comme un baume.

C

Fanie referma la porte de l'atelier. C'était la seule pièce de la maison où Anne pouvait demeurer seule pendant plusieurs heures. Quand Fanie allait à l'école, sa mère s'y enfermait et sculptait toute la journée, ne sortant que quelques minutes vers midi pour aller chercher furtivement à la cuisine le lunch que Fanie lui avait préparé le matin.

Fanie, Benoit et Sophie Mathieu s'assirent à la table de la salle à manger. Fanie avait préparé du café pour tout le monde, sauf pour son père qui n'en buvait jamais, et qui attendait au salon le résultat de la rencontre. Il regardait les murs, les yeux vides. Il ne s'expliquait pas très bien ce qui s'était passé cet après-midi. Dans sa poche, la lettre idiote qui l'empêchait maintenant de garder sa fille lui brûlait la cuisse. Fanie n'avait pas voulu le présenter à Benoit. Elle avait hâte d'en finir.

Bien sûr, d'un point de vue strictement juridique, la lettre n'empêchait pas Patrick Marronnier d'avoir la garde de Fanie. Malgré tous ses défauts, il demeurait plus compétent qu'Anne, c'était indéniable. Il n'était pas fou, lui.

Mais les propos de sa fille l'avaient ébranlé. S'il forçait Fanie à revenir avec lui, il se retrouverait avec une fugueuse sur les bras. Mieux valait tenter de regagner la confiance de l'adolescente. Avec le temps, qui sait… ?

Patrick soupira. Il avait du pain sur la planche.

— Évidemment, commença Sophie, mon diagnostic n'est pas véritablement complet. Je n'ai pas eu assez de temps avec ta mère, et j'aurais préféré lui parler seule à seule. Mais j'ai tout de même pu glaner au fil de ses réponses assez d'informations pour vous donner une bonne idée du problème. Ta mère n'est pas schizophrène, Fanie. Elle est, comme tu t'en doutais déjà, agoraphobe. Mais son état est un des plus graves que j'aie vus dans ma vie professionnelle. Ses symptômes sont très puissants et terrifiants, et elle y réagit comme elle peut.

— Vous voulez dire, les sculptures partout dans la maison, les rituels, ces affaires-là ?

Sophie acquiesça par-dessus sa tasse de café.

— Exactement. Anne ne sait plus quoi faire pour contrer ses crises de panique. Elle est prête à tout essayer, même le plus farfelu. Fanie, comprends bien qu'une bonne partie du problème est due à l'infantilisation de ta mère, dans son propre esprit.

— Elle réagit en bébé ? fit Benoit, en se demandant pourquoi les universitaires ressentaient tous ce besoin maladif d'enrober le concept le plus simple dans un emballage indigeste de mots à se coincer la langue dans les dents.

— Elle réagit en bébé, répéta la docteure en levant un peu le nez. Elle s'est convaincue qu'elle est folle, et elle a abandonné peu à peu ses responsabilités d'adulte. Sa folie présumée lui donne, dans son esprit toujours, la permission de se conduire comme une enfant. Son agoraphobie est réelle, mais elle a elle-même empiré sa condition, en se laissant complètement aller. Il faut lui redonner confiance en elle.

Sophie se pencha vers les deux adolescents, et son ton se fit plus grave.

— C'est pourquoi je recommande que ta mère soit admise dans une clinique béhavioriste, pour un séjour indéterminé.

— Non, dit Fanie.

Sophie haussa les sourcils, incrédule.

— Non ? Mais, tu ne comprends pas, c'est pour son bien…

— Elle a dit non, répéta Benoit platement.

— Je sais ce que c'est, le béhaviorisme, continua Fanie. Vous allez faire faire à maman tout ce qu'elle déteste, tout ce qui lui fait peur, tranquillement, petit à petit, jusqu'à ce qu'elle soit capable toute seule, c'est ça?

Sophie hésita. Les profanes l'agaçaient, avec leur inébranlable façon de traiter des questions complexes comme s'il s'agissait d'une liste d'épicerie.

— En gros, c'est ça, oui, admit-elle.

— C'est ce qu'on fait depuis des semaines! triompha Benoit.

Fanie se cala au fond de sa chaise; une grande paix venait de se faire dans son esprit.

— C'est exactement notre approche, renchérit-elle. Et ça marche. Maman est sortie dehors ce matin. Elle avait pas fait ça depuis sept mois et demi.

— Mais enfin, protesta Sophie, éberluée, vous n'êtes pas des professionnels!

— Non, je suis sa fille, et lui, c'est son ami. Vous, vous l'avez vue pour la première fois aujourd'hui.

— Mais bon sang, réalisez-vous ce que vous dites? Vous pourriez faire plus de mal que de bien! C'est inadmissible. Je peux demander la signature de Patrick, tu sais, Fanie, et ta mère sera légalement obligée d'entrer en institution.

— Mon père signera pas.

Sophie dut lire sur le visage de la jeune fille qu'elle disait la vérité, car elle changea de tactique.

— À la rigueur, je n'ai même pas besoin de la signature de ton père, dit-elle, hautaine. Si j'estime que ta mère est en danger, j'ai l'autorité nécessaire pour la faire placer.

Fanie se frotta les yeux, exténuée. Elle déposa la main sur la cuisse de Benoit, pour se redonner un peu de forces.

— Écoutez, là. Je comprends, vous essayez de faire votre job. C'est même admirable, mais vous connaissez pas ma mère comme je la connais. Je vais faire un marché avec vous. Laissez-nous un bout de temps, je sais pas, moi, trois semaines, un mois, pour continuer de nous occuper d'elle comme on le fait depuis le début. À la fin de cette période-là, vous viendrez la revoir, et si vous trouvez qu'elle a pas fait de progrès raisonnables, je vais vous laisser l'institutionnaliser.

Fanie but un peu de café.

— Et moi, conclut-elle, je m'en irai en foyer d'accueil. Allez voir mon père, il doit commencer à s'ennuyer tout seul.

12
Finale

Jessica jeta un coup d'œil circulaire sur les fruits de son travail acharné des quatre derniers mois. Elle n'était pas mécontente, pas mécontente du tout. C'était, sans fausse modestie, superbe. L'événement artistique de l'année dans le Faubourg.

La galerie qu'elle avait louée, au coin de la Côte-au-Sirop et de la rue des Ducats, comportait trois très grandes pièces bien éclairées, des planchers de bois franc, une immense vitrine où quelques œuvres choisies avec soin invitaient les passants à entrer et à s'émerveiller de l'imagination et du talent d'Anne Marronnier, sculpteure. On y avait disposé une gigantesque main ouverte, recouverte de copeaux de bois aux teintes variées, un dauphin aux yeux rouges, et le Chien.

Déménager les nombreuses sculptures s'était révélé cauchemardesque. Elles étaient fragiles et il fallait les déplacer avec un soin minutieux, ce qui excluait d'emblée le recours à des déménageurs professionnels. Les membres de Push-Poussez avaient donc été déclarés volontaires et s'étaient volontiers prêtés à l'entreprise, bravant le froid, la glace et les crises d'hystérie d'Anne qui, malgré les progrès énormes qu'elle avait accomplis grâce à Fanie et à Benoit, supportait assez mal de voir d'autres mains que les siennes manipuler ce qu'elle considérait encore comme des petits morceaux d'elle-même. Seul Alain n'était pas venu, prétextant une autre répétition importante, faisant de nouveau pleurer Kim. Alain ne participait presque plus aux sorties et aux activités du groupe, il était vraiment trop occupé, Miriam, sa partenaire, avait besoin de lui pour pratiquer. Mais pratiquer quoi exactement ? se demandait Kim, morose, déprimée. Push-Poussez sombrait. Kim aussi.

Finalement, une journée avait suffi au transport des soixante-treize sculptures.

Le nombre peut paraître excessif, mais quarante-deux des pièces étaient en fait les éléments d'un seul et même assemblage : les mouches, auxquelles revenait la place d'honneur, au centre de la galerie, en véritable montagne de pattes et d'ailes translucides. Jessica avait ensuite, pendant plusieurs jours, placé et déplacé les autres sculptures dans la galerie, prenant photo sur photo de ses arrangements : elle tenait à avoir l'avis d'Anne, même si celle-ci n'était vraiment pas prête à venir sur place. Il n'était d'ailleurs pas encore certain qu'elle arriverait à se présenter au vernissage.

Ce n'était pas tout. Il avait fallu préparer le catalogue : vérifier des dates, photographier les œuvres, écrire le commentaire (pas trop snob ni trop populiste, des opinions intelligentes, sans faire prétentieux), et trouver un imprimeur aux tarifs décents. On avait réfléchi pendant quelques minutes à la possibilité de ne publier qu'un catalogue en ligne, mais le monde de l'art est conservateur, et il s'était avéré nécessaire de pouvoir fournir une copie papier aux acheteurs sérieux. Il avait fallu dresser une liste d'invités au vernissage, prendre soin de ne froisser personne, sans perdre de vue que la galerie n'était pas le Centre Bell. Choisir un traiteur pour le goûter, expliquer clairement qu'il était interdit de servir du porc, pour ne pas offusquer les juifs figurant sur la liste (donc, pas de petites saucisses avec du bacon autour), et déterminer s'il était de mise de servir de l'alcool. Engager des hôtes et des hôtesses, élèves de La Passerelle pour la plupart, et les aider à bien connaître les sculptures. Se renseigner auprès d'experts pour fixer un barème de prix raisonnables pour les pièces. Louer une caisse enregistreuse. Publiciser le tout, sur Internet, dans les journaux et à la télévision communautaire. Obtenir l'approbation de l'exigeante mécène, Lorina Liddell. Et mille autres choses encore. À travers tout ça, Jessica avait réussi à maintenir son habituel niveau d'excellence scolaire, ce qui tenait du miracle.

Ce soir, ces interminables heures de labeur, de sueur et de maux de tête prenaient enfin tout leur sens. Ce soir, la galerie d'art Lorina Liddell ouvrait ses portes au public pour la première fois. Satisfaite, excitée, elle relut rapidement, pour la centième fois, le programme de la soirée.

19 h 30
Mot de bienvenue de Lorina Liddell
19 h 45
Prestation du groupe Push-Poussez
20 h 30
Visite libre
21 h
Goûter

— C'est parfait, ma belle, dit Dave en passant ses bras autour des épaules de sa copine. T'as fait une job fantastique. You're just amazing, you look incredibly sexy and I love you[23].

Jessica se retourna et embrassa fougueusement son ami, appréciant le toucher de sa langue et de ses lèvres. Kim et Alain se perdaient tranquillement de vue, et c'était tragique, mais Dave et elle se rapprochaient de plus en plus. Ils formaient un drôle de couple, la Juive défigurée et le Noir ultracatholique (c'est ce qu'on chuchotait dans leur dos), mais leurs liens étaient vrais, et solides.

— I love you too, fit-elle, heureuse.

Elle lui montra le programme, fanfaronne.

— C'est vrai que c'est pas pire, hein ? Tout a l'air d'aller comme sur des roulettes, j'espère que ça va continuer comme ça…

— Pas de problème, Jess. T'as bien travaillé.

Autour d'eux, des jeunes s'affairaient à mettre la dernière main aux préparatifs, époussettant les

---

23. Tu es tout bonnement fantastique, tu es incroyablement séduisante et je t'aime.

sculptures, vérifiant que les catalogues étaient bien arrivés et qu'ils étaient imprimés à l'endroit. Serge, toujours consciencieux, était déjà en train de monter ses claviers. Kim et Alain devaient arriver un peu plus tard, ensemble, pour une fois. Benoit et Fanie se chargeaient d'amener Anne quelques minutes seulement avant le début des festivités, pour éviter une crise.

— You know, the only thing bothering me is[24], c'est pas ben smatte de penser ça, dit Jessica, un peu gênée, mais j'espère juste que la mère de Fanie virera pas sur le top devant tout le monde. Elle est pas encore trop à l'aise avec le monde, tu le sais, c'est pas pour rien qu'on lui fait pas faire de discours… N'importe quoi peut arriver…

Dave sourit puis déclara avec conviction :

— Tu vas voir, Jess. Anne Marronnier va se conduire impeccablement ce soir, dans les limites du raisonnable. Benoit and Fanie have done wonders with her. You'll see[25].

Et, dans les limites du raisonnable, le bassiste n'avait pas tort.

C

Lorsque, à 19 h 26, Fanie et Benoit poussèrent et tirèrent une Anne pas brave brave vers l'entrée arrière de la galerie, l'endroit était déjà bondé.

---

24. Tu sais, la seule chose qui m'agace, c'est…
25. Benoit et Fanie ont fait un boulot fabuleux avec elle. Tu vas voir.

Pierre Houde, le directeur de La Passerelle, était présent avec son épouse, ainsi que beaucoup d'enseignants de la polyvalente. Le curé de la paroisse, Ubald Marchesseault, n'aurait pas manqué ça pour tout le tabac à pipe du monde. Les parents des membres de Push-Poussez, fiers de leurs enfants mais pas nécessairement impressionnés par les sculptures (« Je connais peut-être pas grand-chose en art, mais je sais ce que j'aime ! »), se rattrapaient sur les potins en s'imbibant de vin blanc. Seuls les parents de Serge ne s'étaient pas montrés ; depuis l'histoire du bal des finissants au printemps dernier, monsieur Brochu ne parlait presque plus à son fils. C'était, comme disait Serge d'une voix qu'il voulait sûre, la vie.

— Je serai pas capable, marmonnait Anne, effrayée comme un chiot, je vais être malade, tout ce monde-là qui me regarde, je serai pas capable.

Elle retira son manteau en tremblant. Elle portait une jupe moulante noire qui laissait deviner ses jambes, une blouse de soie rouge, un foulard. Elle était maquillée et portait boucles d'oreilles, collier et bracelet d'argent. Elle ne semblait pas très à l'aise : sa bouche s'ouvrait et se fermait comme celle d'un poisson rouge.

— Anne, c'est pas le genre de choses à dire, répliqua Benoit, indulgent. C'est même pas vrai, tu veux juste te convaincre, je te connais. Ça te fait un peu peur, cette soirée-là, ça fait que tu essaies de te mettre dans la tête que tu peux pas y arriver.

— Mais nous, on sait que t'es capable, maman, enchaîna Fanie en prenant le manteau de sa mère. On le sait, puis on le sait que tu le sais, et tu le sais qu'on le sait que tu le sais. Prends pas le chemin le plus facile, maman. Ça vaut pas la peine.

Les traits de la jeune fille se durcirent, et son ton se fit venimeux.

— Montre à Patrick que t'es pas folle.

Benoit soupira intérieurement. Il n'aimait pas entendre cette note de méchanceté dans la voix de son amie, de son amour. Il ne regrettait qu'une seule chose de l'ahurissante aventure que les Marronnier lui faisaient vivre depuis des mois, et c'était ce ressentiment, ce mépris, cette haine à peine déguisée de Fanie pour son père. Il n'approuvait pas ce que Patrick avait fait, loin de là, mais tout le monde a droit à une deuxième chance, non?

— Non, avait tranché Fanie quand il lui en avait parlé.

— Tu vas le détester comme ça toute ta vie? Tu vas laisser la bile te ronger le cœur jusqu'à la fin de tes jours, Fanie?

Fanie avait fermé les yeux, le visage rigide.

— Je sais pas.

— C'est ton père, quand même.

— C'est la raison la plus tèteuse d'aimer quelqu'un que j'aie jamais entendue.

Benoit avait changé de sujet. Il aimait Fanie, il ne voulait pas la troubler. Elle en avait assez vécu.

— Vous me laisserez pas tranquille jusqu'à ce que je me montre la face dans cette salle-là? grinça Anne avec une grimace forcée.

— Non, répondirent en chœur les deux jeunes.

Anne secoua la tête, une chaleur dans la poitrine.

— Vous êtes les deux petits monstres les plus insupportables de la planète.

Elle sourit mollement.

— Une chance, ajouta-t-elle.

Elle se laissa choir dans un fauteuil, fouilla dans le sac qu'elle avait apporté et en sortit une paire de souliers à talons hauts et la Reine des Fées. Fanie prit une petite fiole dans la poche du manteau de sa mère.

— Tiens, maman, fit-elle en lui tendant un comprimé. Prends ton médicament, c'est l'heure. Ça va t'aider à rester calme. À passer au travers.

Anne avala le comprimé avec gratitude, but un peu d'eau, s'ébroua.

— Bon, ben, laissez-moi juste me faire à l'idée, là, dit-elle.

— … et vous apprécierez, comme moi, la vertigineuse vision de cette nouvelle artiste, que je suis bouffie de vanité à l'idée de vous présenter : Anne Marronnier.

Applaudissements dans la salle. Lorina descendit péniblement du podium, aidée par le bras solide de Dave. Le bassiste de Push-Poussez adorait la grand-mère de Jessica. Il aimait l'entendre parler, et rire.

— Excellent speech, dit-il à mots couverts, in excellent French, and I don't think anybody noticed how you lost your train of thought in the middle there[26]…

— Dave Herbert, riposta la vieille femme en riant, I did not lose my train of thought. This sort of thing is called a digression, an acceptable literary device, you should look it up sometime, you ignoramus[27] !

Elle se souleva douloureusement sur la pointe des pieds et déposa un baiser sec sur la joue de Dave.

— Un instant ! On aimerait bien la voir, nous, la fameuse Anne Marronnier !

Tous les membres de Push-Poussez, Lorina et Fanie se figèrent sur place, et leur cœur sauta un battement. C'était Pierre Houde qui venait de s'exprimer en ces termes, inconscient du typhon qu'il risquait de déclencher, inconscient comme toujours, les pieds dans les plats comme c'était son destin.

Anne sentit sa respiration s'affoler, ses paumes se couvrirent d'une moiteur aigre. Son ventre la faisait déjà souffrir. Elle avait tout à coup besoin de passer aux toilettes. Fanie, qui l'encadrait depuis le début avec Benoit, se colla contre elle pour la tranquilliser.

---

26. Excellent discours, et je crois que personne n'a remarqué que vous avez perdu le fil de vos idées, au milieu, là…
27. Je n'ai pas perdu le fil de mes idées. C'est ce qu'on appelle une digression, un procédé littéraire reconnu, tu devrais te renseigner, petit ignorant !

Il y eut un horrible moment de flottement.

Soudain, Jessica s'anima et commença à balbutier de façon plus ou moins cohérente :

— Euh, eh bien, mesdames et messieurs, euh, voyez-vous, euh, euh, madame Marronnier ne se sent pas très bien, euh, et...

Elle s'arrêta dans la confusion. Devant ses yeux incrédules, Anne se mit lentement en marche vers le podium, à petits pas glissants, laissant derrière elle deux jeunes au comble de la stupéfaction. Elle mit un temps fou à se rendre au micro et dut s'agripper fermement au bois du lutrin pour ne pas tomber. La voix dansante, les yeux fixés sur le mur du fond, elle articula péniblement :

— Bonsoir. Je... je suis heureuse que vous soyez venus en si grand nombre, ça... ça me touche beaucoup. J'espère que vous allez aimer mes affaires... mes sculptures... Elles comptent beaucoup pour moi. Merci.

Il y eut un clapotis d'applaudissements épars, comme une pluie vespérale. Quelque chose dans le ton de l'artiste semblait confirmer ce que Jessica avait affirmé : Anne ne se sentait pas bien. Peut-être était-ce la nervosité, chuchotait-on, ou peut-être encore avait-elle mangé quelque chose qu'elle digérait mal. Les spectateurs des premières rangées pouvaient clairement voir à quel point la peau de son visage était pâle, presque translucide.

Benoit et Fanie, qui savaient, eux, le miracle qui venait de se produire, tendaient les mains vers elle, trop émus pour parler. Il n'y avait pas de doute : malgré les médicaments, c'était un miracle. Anne alla lentement les rejoindre, trébuchant, les lèvres craquelées. Fanie toucha le bras de sa mère et la soutint pour l'empêcher de tomber. Puis, alors que les conversations reprenaient çà et là, incertaines, hésitantes, Benoit, Fanie et Anne se dirigèrent vers la porte arrière.

— Eh bien, mesdames et messieurs, déclarait Jessica avec bonne humeur, je vous invite maintenant à admirer l'impressionnante collection que nous avons réunie pour vous ici ce soir. Si vous avez des questions, n'hésitez pas, nos hôtes se feront un plaisir de vous aider. Dans une quinzaine de minutes, vous aurez droit à un mini-concert exclusif de Push-Poussez !

— Je t'aime, maman, dit Fanie en refermant la porte derrière eux.

Anne embrassa sa fille, puis Benoit, qui pleurait un peu et espérait que ça ne paraissait pas trop.

— Moi aussi, Fanie. Je vous adore, tous les deux.

Puis elle s'évanouit.

C

Fanie ne dansait pas. Elle ne dansait jamais. De toute façon, personne ne dansait non plus, ce soir, de peur de renverser ou de briser une des sculptures qui monopolisaient la pièce. Kim lui avait promis de lui donner des leçons, mais sans grande conviction, sans joie. Kim avait l'air triste.

Dans la grande salle de la galerie, au milieu du Chien et des Mouches et du Phoque et des dizaines d'autres morceaux d'âme de sa mère, dont plusieurs portaient maintenant une petite carte marquée VENDU, Fanie écoutait Push-Poussez.

Fanie observait Benoit, complètement déchaîné sur sa batterie, ses cheveux volant de tous les côtés, et elle le trouvait beau, et elle savait qu'il était amoureux d'elle et elle voulait hurler. Elle ne comprenait pas très bien ce qui s'était passé depuis quelques mois : d'abord l'amitié, puis l'amour indéniable, indénié, avoué, de Benoit, les progrès phénoménaux de sa mère, son petit discours de tout à l'heure, qui avait dû être la chose la plus difficile qu'elle ait jamais accomplie de sa vie. Fanie ne comprenait pas très bien, mais elle ne s'en plaignait pas. Cette année scolaire avait commencé de la pire façon, et maintenant, Fanie possédait plus qu'elle n'avait jamais possédé. Elle n'avait perdu, se disait-elle, qu'un père.

Benoit arrivait à peine à se concentrer sur ses bâtons. Il ne savait plus vraiment s'il jouait *Idées-Ideas* ou *Le chant de la planète.* Il ne voyait qu'Anne, il n'entendait que les mots maladroits qu'elle avait prononcés devant tant de gens… Il ne voyait que les yeux de Fanie, et le feu qui s'y était embrasé lorsque Anne était née à nouveau. Il lui tardait d'aller rejoindre son amie, de lui parler, de la toucher. La musique de Push-Poussez lui semblait lointaine, triviale. Et d'ailleurs, Serge avait raison, ils ne jouaient plus aussi bien, toute la gang.

Anne était toute seule dans le petit bureau adjacent à la grande salle. Elle feuilletait le catalogue de son exposition, lisait le commentaire en riant dans sa tête. Elle se sentait presque bien. Elle était épuisée. Elle rêvait que Patrick venait la retrouver et l'embrassait.

Kim chantait sans regarder Alain. Elle avait peur de se mettre à pleurer.

Le chant de la planète, The Love-ship of Ishtar, Élégie I, The Banana Peel in Front of my Soul... Les chansons se succédaient rapidement, interprétées de façon compétente, mais sans la force, l'inspiration, l'abandon des premiers jours. Seuls les musiciens le ressentaient, mais un malaise indéfinissable étranglait leur musique, la tirait lourdement vers le sol.

Avant la dernière chanson, *Rock'n'roll Suicide* de David Bowie, Alain s'avança avec son micro et demanda l'attention des spectateurs. Les cinq autres échangèrent des regards interrogatifs : ce n'était pas prévu. Un silence obéissant s'établit.

Alain ferma les yeux. Il avait l'impression de jouer un rôle, d'être hors de son corps et de se regarder bouger, comme au théâtre. Il n'avait pas su comment annoncer sa décision au reste du groupe. Et maintenant, il n'avait plus le choix. Il fallait jouer son rôle jusqu'au bout, terminer la pièce avant d'en commencer une autre. Miriam l'attendait.

— On est très heureux que vous soyez venus nous entendre ce soir, déclama-t-il sans grand naturel. Parce que ce show-là, c'est le dernier qu'on va donner. Merci.

Il fit signe à Serge qui, horrifié, commença à jouer malgré lui, et tout le monde suivit, comme dans un rêve, avec l'impression qu'une bombe venait d'exploser dans la galerie.

Après cinq ou six mesures, Kim sortit en courant et Jessica dut chanter à sa place.

Table des matières

LA SANTÉ MENTALE

Les gens qui jouissent d'une bonne santé mentale sont capables de s'adapter aux vicissitudes de la vie – joies, peines, frustrations, problèmes – en acceptant les situations qu'ils ne peuvent changer et en modifiant celles qu'ils contrôlent davantage. La personne saine éprouve du plaisir dans ses relations avec autrui et parvient à établir un équilibre entre tous les aspects de sa vie.

Les événements qui se succèdent au fil du temps ont un impact sur notre état mental, et il faut veiller à garder la forme. Comment ? En faisant de l'exercice, en s'alimentant correctement, en apprenant à gérer le stress et à relaxer…

Quelques suggestions pour favoriser un bon équilibre mental :

- un exercice tout simple – prendre de profondes inspirations en s'imaginant dans un endroit merveilleux et se laisser envahir par le bien-être que procure cette escapade ;
- un retour dans le passé – revivre en pensée des souvenirs joyeux et se rappeler des périodes heureuses ;
- une attitude positive – choisir délibérément de mettre l'accent sur ce qu'il y a de beau dans sa vie plutôt que de crouler sous le poids des éléments négatifs ;
- des loisirs agréables – participer à des activités qui permettent de rire et de s'amuser.

Saviez-vous que… selon les estimations, environ une personne sur cinq sera touchée par la maladie mentale au cours de sa vie ?

Saviez-vous que… tous les Canadiens sont indirectement touchés par la maladie mentale, soit par un membre de leur famille, un ami ou un collègue ?

Malheureusement, trop de préjugés entourent la maladie mentale. On pense, à tort, que ceux qui en souffrent sont des êtres faibles et paresseux qui préfèrent se réfugier dans la folie plutôt que de faire face à l'existence. À cause de ces préjugés, les gens atteints endurent souvent leur mal en silence et n'osent pas crier au secours. Des ressources existent pourtant, tant pour les malades eux-mêmes que pour leurs proches. Il est possible de se faire soigner et, surtout, on peut guérir. Il ne faut pas hésiter à demander de l'aide.

LA MALADIE MENTALE se définit comme l'ensemble des problèmes qui affectent l'esprit. Le malade souffre d'un dysfonctionnement qui est de nature psychologique, mais souvent biologique également. Il n'est pas moins intelligent qu'une personne dite *normale*.

LES CAUSES DE LA MALADIE MENTALE : le cerveau est un organe complexe et encore un peu méconnu par la médecine. En dépit de très nombreuses recherches sur le sujet, on n'a pas encore inventorié toutes les causes de la maladie mentale. On sait très bien, par contre, que certains facteurs peuvent en favoriser le déclenchement : accident, divorce, perte d'un être cher ou d'un emploi, etc. Cependant, ce ne sont pas seulement les événements malheureux qui en expliquent l'apparition. Il y a des troubles mentaux qui sont dus à un déséquilibre chimique de certaines substances du cerveau. On attribue maintenant la maladie mentale à une interaction entre des facteurs génétiques et biologiques, des traits de la personnalité et l'environnement social.

LES PRINCIPALES MALADIES MENTALES : on a identifié un grand nombre de maladies mentales et de symptômes qui provoquent des malaises physiques, des bouleversements émotifs ou intellectuels, ainsi que des comportements anormaux. Mentionnons la dépression, le trouble bipolaire, les troubles de l'alimentation, la schizophrénie et les troubles anxieux (trouble panique, phobies, troubles obsessionnels compulsifs et stress post-traumatique).

LES TROUBLES ANXIEUX comptent parmi les problèmes de santé mentale les plus communs. Ces maladies se diagnostiquent et se soignent efficacement au moyen de deux traitements principaux : la thérapie cognitive du comportement et la médication. Les groupes de soutien peuvent également faire partie du traitement. Les troubles anxieux sont pénibles à supporter, tant pour les personnes atteintes que pour leur famille, mais il existe des associations, des organismes et des lignes d'écoute qui viennent en aide à ceux qui sont aux prises avec ces problèmes. Voici quelques adresses :

L'Association des troubles anxieux du Québec
Téléphone : 514 251-0083
Site Web : www.ataq.org/

L'organisme Revivre
Ligne d'écoute des services jeunesse :
Téléphone : 1 866 REVIVRE [738-4873]
Site Web : www.revivre.org

Phobies-Zéro
Ligne d'écoute : 514 276-3105
Site Web : www.phobies-zero.qc.ca

La Clé des champs
Téléphone : 514 334-1587
Site Web : www.lacledeschamps.org

Saviez-vous que... pour qu'un enfant se développe le plus normalement possible, ses parents doivent l'aimer et lui fournir un cadre de vie stable ?

LES PARENTS JOUENT UN RÔLE PRIMORDIAL dans le développement de leurs enfants. Même si ceux-ci sont entourés d'adultes qu'ils aiment beaucoup, ce sont leurs parents qui exercent sur eux le plus d'influence. Les parents ont des obligations envers leurs enfants. Au regard de la loi, ils doivent subvenir à leurs besoins essentiels : les nourrir, les loger, leur fournir des soins personnels, faire attention à eux, veiller à leur bien-être, les élever, les soigner s'ils sont malades, et leur donner accès à des activités de loisir. Mais les deux éléments primordiaux au développement des enfants sont l'amour et une structure de vie saine.

- **L'AMOUR :** une relation aimante entre parents et enfants est essentielle pour que ceux-ci développent la confiance et l'estime d'eux-mêmes. Caresses, sourires, étreintes et compliments sont des façons pour les parents de manifester leur amour à leurs enfants. Et c'est important aussi qu'ils passent du temps de qualité avec eux.
- **UNE STRUCTURE DE VIE SAINE :** il faut que les parents donnent à leurs enfants un cadre de vie stable, un environnement où ils se sentent en sécurité. Que le foyer représente pour les jeunes un endroit où il fait bon se retrouver (et ce, même s'il y a à l'occasion des tensions au sein de la famille). Bien qu'il soit parfois difficile pour les enfants de comprendre les bienfaits de la discipline, les parents doivent leur imposer des valeurs et des règles de conduite.

Saviez-vous que… un enfant qui grandit dans une famille dont l'un des parents est atteint de maladie mentale court un plus grand risque de développer lui-même une maladie mentale, s'il ne reçoit pas l'attention dont il a besoin pour se développer sainement ?

Quels sont ces risques ? L'enfant d'une personne atteinte de troubles mentaux peut avoir hérité les caractéristiques génétiques de son parent malade. En outre, les comportements et les humeurs du parent malade peuvent nuire au développement normal de l'enfant. La maladie peut, en effet, empêcher le parent de prodiguer à son enfant l'amour et l'accompagnement nécessaires à son développement.

SI UN DE VOS PARENTS SOUFFRE DE MALADIE MENTALE, cela ne veut pas dire que vous en souffrirez automatiquement, mais seulement que le risque est plus élevé. Une chose que vous devez savoir : ce n'est pas votre faute si votre parent est malade.

Lorsqu'un parent est atteint, tous les membres de la famille sont touchés. Parfois, le parent qui n'est pas malade est tellement affecté par la maladie de l'autre parent qu'il ne se soucie pas assez des sentiments ou des besoins de son enfant. Or, comme celui-ci ressent une gamme d'émotions variées – peine, colère, frustration, honte, incompréhension, etc. –, il doit trouver non seulement une oreille sympathique à qui se confier, mais aussi quelqu'un qui l'aide concrètement à faire face à la situation. Voici quelques références :

Groupe d'enfants dont un des parents (ou un proche) a un problème de santé mentale

Clinique externe de psychiatrie
Hôpital Jean-Talon
Téléphone : 514 729-3036

L'Association des parents et amis de la personne atteinte de maladie mentale Rive-Sud (APAMM-RS)

Téléphone : 450 677-5697
Site Web : www.apammrs.org/

L'APAMM apporte soutien et information aux familles touchées par la schizophrénie, les troubles bipolaires, la maniaco-dépression, la dépression, les troubles obsessionnels-compulsifs, les troubles de personnalité limite, l'anxiété et la panique.

Saviez-vous que… si l'un de vos parents est maladc, vous pouvez diminuer les risques de souffrir vous aussi d'un désordre mental ?

- Il faut d'abord **vous renseigner** sur la maladie dont souffre votre parent, de façon à mieux en comprendre les causes et les conséquences – fatigue, tristesse, irritabilité, colère sans raison, manies, compulsions, etc.
- Lorsqu'un parent est mentalement atteint, il arrive que la routine familiale soit chamboulée et que les rôles de tout un chacun soient modifiés. Sauf que **ce n'est pas le rôle d'un enfant de devenir le parent de son parent.** C'est une chose d'aider aux tâches ménagères, mais l'enfant ne doit pas tout accomplir seul. Si on vit seul avec un parent malade, **il ne faut donc pas hésiter à demander de l'aide** à des adultes en qui on a confiance (oncle, tante, grand-mère, voisin, etc.).

- Même si le climat à la maison n'est pas toujours joyeux, on a le droit d'être heureux et de s'amuser. Il est important de **poursuivre une vie normale** : fréquenter l'école, faire des activités avec ses amis, avoir des loisirs à l'extérieur de la maison (cinéma, musique, sport, arts plastiques, etc.).
- Bien que la maladie mentale soit souvent un sujet tabou dans les familles, il ne faut surtout pas s'isoler. C'est normal de vouloir exprimer ses émotions par rapport à ce qu'on vit à la maison. Alors **il faut se confier** à des amis, à un intervenant à l'école ou à un adulte en qui on a confiance.
- Aussi, il existe plusieurs groupes de soutien dont les membres vivent des expériences similaires. On peut **trouver aide et réconfort** auprès de ces groupes. Le simple fait de savoir que d'autres font face à des problèmes semblables permet déjà de se sentir moins seul.

L'Association canadienne pour la santé mentale, filiale de Montréal

Téléphone : 514 521-4993
Site Web : www.acsmmontreal.qc.ca

Fédération des familles et amis de la personne atteinte de maladie mentale (FFAPAMM)

Téléphone sans frais : 1 800 323-0474
Site Web : www.ffapamm.qc.ca

Cette fédération chapeaute plus de 45 associations régionales qui offrent des services à l'entourage des personnes atteintes : écoute téléphonique, rencontres individuelles, conférences d'information, centres de documentation, ateliers de discussion, références aux ressources du milieu, activités de sensibilisation, etc.

On peut également faire appel à un psychologue professionnel :

Association des psychologues du Québec

Téléphone : 514 353-7555 ou 1 877 353-7555
Site Web : www.apqc.ca/k

PLAN DU
FAUBOURG
ST-ROCK
HERRIMAN
Chemin de la Falaise
DURUISSEAU
DES ARTISANS
CÔTE-AU-SIROP
TANQUERAY
WODEHOUSE
DE L'OASIS
DES ÉGLANTIERS
BOULEVARD DE LA PASSERELLE
Aréna
DE L'ALLIANCE
CROISSANT ST-ROCK

INVITATION

En terminant la lecture de ce livre, vous avez sûrement des impressions ou des commentaires au sujet de l'histoire, des personnages, du contexte ou de la collection Faubourg St-Rock + en général.

Nous serions heureux de les connaître. Alors, si le cœur vous en dit, écrivez-nous.

Éditions Pierre Tisseyre
a/s Vincent Lauzon
9300, boul. Henri-Bourassa Ouest
Bureau 220
Saint-Laurent (Québec)
H4S 1L5

info@tisseyre.ca

Un grand merci !

COLLECTION FAUBOURG ST-ROCK+

directrice : Marie-Andrée Clermont

1. **L'engrenage,** de Marie-Andrée Clermont, 2007.
2. **L'envers de la vie,** de Susanne Julien, 2007.
3. **Symphonie rock'n'roll,** de Vincent Lauzon, 2007.
4. **Le cœur à l'envers,** de Susanne Julien, 2007.
5. **Roche de St-Cœur,** de Marie-Andrée Clermont, 2007.
6. **La rumeur,** de Danièle Desrosiers, 2007.
7. **Double foyer,** de Marie-Andrée Clermont, 2007.
8. **La faim du monde,** de Robert Soulières, 2007.
9. **D'amour et d'eau trouble,** de Marie-Andrée Clermont, 2007.
10. **État d'alerte,** de Michel Lavoie, 2007.
11. **La vie au Max,** de Susanne Julien, 2007.
12. **C'est permis de rêver,** de Susanne Julien, 2008.
13. **La marque rouge,** de Marie-Andrée Clermont, 2008.
14. **Une place à prendre,** de Dominique Giroux, 2008.
15. **La gitane,** de Marie-Andrée Clermont, 2008.
16. **Concerto en noir et blanc,** de Vincent Lauzon, 2009.
17. **Les rendez-vous manqués,** de Susanne Julien, 2009.
18. **Sonate pour un ange,** de Vincent Lauzon, 2010.

Note : Les ouvrages listés ci-dessus dans la collection Faubourg St-Rock + sont des versions réactualisées des romans portant les mêmes titres parus de 1991 à 1998.

Ce livre a été imprimé
sur du papier enviro 100 % recyclé.

Empreinte écologique réduite de :
Arbres : 4
Déchets solides : 119 kg
Eau : 11 217 L
Émissions atmosphériques : 260 kg

Ensemble, tournons la page sur le gaspillage.